一鸣惊人

说　　明

　　1. 本书采用汉字和汉语拼音对应排列、逐字注音的形式，以帮助儿童识字为主要目的。凡涉及有关汉语拼音拼写规则及语调变化（如一、七、八、不）、轻读等问题，请教师和家长按有关规定指导儿童阅读。

　　2. 本书在编辑过程中得到许多作者的热情支持，谨致以衷心的感谢。其中尚有少数作品，因原著作者情况不详，无法联系，请原作者与我社联系，我社将按有关规定奉寄稿酬及赠样书。

彩图汉语拼音读物

中华成语故事精选

一鸣惊人

江苏少年儿童出版社

一鸣惊人

策划　宗华

编文　袁里　于京良　李波

绘画　吴元奎　罗霞　罗克

封面绘画　吴元奎

装帧设计　梁　马

文字编辑　龚慧瑛

美术编辑　王　烈

目　录

夸父追日
kuā fù zhuī rì

注解　追：追赶。

释义　夸父追赶太阳。形容人们征服自然的决心。也比喻自不量力。

出处　《山海经·海外北经》

1　古时候，有
gǔ shí hòu   yǒu
个人名叫夸父，
gè rén míng jiào kuā fù
他很有志气。
tā hěn yǒu zhì qi

2 　他看见
tā kàn jiàn

太阳在走，
tài yáng zài zǒu

便说："太阳，
biàn shuō tài yáng

我要和你比
wǒ yào hé nǐ bǐ

赛！"
sài

3 　他追呀赶
tā zhuī ya gǎn

呀，一直追赶到
ya yī zhí zhuī gǎn dào

太阳落山的地方。
tài yáng luò shān de dì fang

tā lèi de qì chuǎn xū xū　　kě de
4　他 累 得 气 喘 吁 吁 ， 渴 得

hóu lóng mào yān　　jiù hē gān le wèi hé de
喉 咙 冒 烟 ， 就 喝 干 了 渭 河 的

shuǐ
水 。

kě shì tā réng rán
5　可 是 他 仍 然

kě de bù xíng　　yòu hē
渴 得 不 行 ， 又 喝

gān le huáng hé de shuǐ
干 了 黄 河 的 水 。

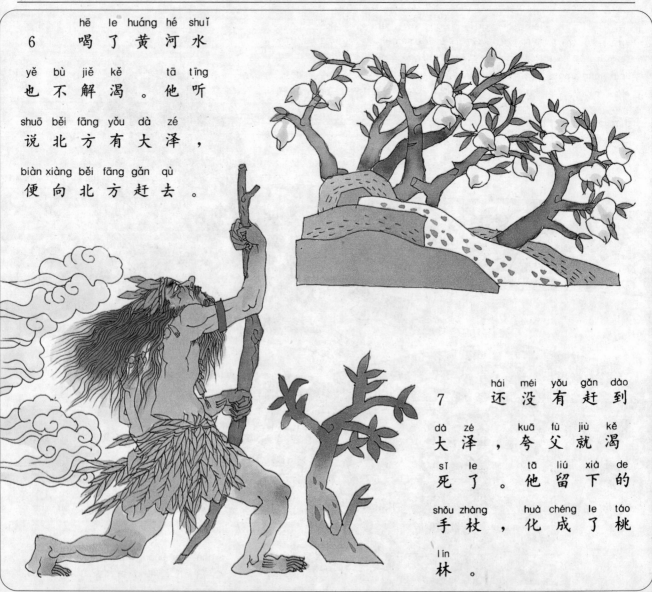

6　喝了黄河水也不解渴。他听说北方有大泽，便向北方赶去。

7　还没有赶到大泽，夸父就渴死了。他留下的手杖，化成了桃林。

精卫填海

jīng wèi tián hǎi

注解 精卫:古代神话中的小鸟。

释义 比喻不怕困难,意志坚定。

出处 《山海经·北山经》

1 远古时期,炎帝有个活泼美丽的小女儿,名叫女娃。

2　女娃喜欢大海，她常在海边玩耍，捡那些色彩斑斓的贝壳。

3　可是有一天，风云突变，怒吼的海浪把女娃卷走了。

4　　fēng bào píng xī hòu　hǎi miàn shàng fēi chū yī zhī xiǎo niǎo
　　　风　暴　平　息　后　，海　面　上　飞　出　一　只　小　鸟　，

jīng wèi　　jīng wèi　　de jiào zhe
"精卫、精卫"地叫着。

5　　tā jiù shì nǚ wá biàn de ya　jīng wèi niǎo hèn tòu le dà
　　　它　就　是　女　娃　变　的　呀！精　卫　鸟　恨　透　了　大

hǎi　　fā shì yào tián píng dà hǎi
海，发　誓　要　填　平　大　海　。

7　大海虽然没有被填平，但是精卫鸟矢志不移的精神却永世相传。

6　它从远方衔来一根根枯枝、一块块石子，投进大海。

愚公移山
yú gōng yí shān

释义　比喻做事有顽强的
毅力，不怕困难。

出处　《列子·汤问》

1　从前有两座
山，一座叫太行
山，一座叫王屋
山。它们又高又
大。

2　　山北面住着一位老汉，名叫愚公。他90岁了，很受人尊敬。

3　　愚公每次出门，都被两座大山挡着，非常不方便。

4　　yú gōng fā le hěn xīn　yào bǎ liǎng zuò
　　　愚 公 发 了 狠 心 ， 要 把 两 座

dà shān bān zǒu　　ér sūn men yě dōu pāi shǒu zàn
大 山 搬 走 。 儿 孙 们 也 都 拍 手 赞

chéng
成 。

5　　dì èr tiān jī gāng
　　　第 二 天 鸡 刚

jiào　quán jiā jiù qǐ shēn
叫 ， 全 家 就 起 身

shàng lù le
上 路 了 。

6　来到山脚下，愚公立刻带领全家动手干起来。

7　他们你挑我抬，你追我赶，不分日夜，干得热火朝天。

8　　　愚公移山的事，感动了周围所有的人，乡亲们纷纷跑来帮忙。

9　但河曲的智
叟看到这情景，
却连连摇头。

10　他对愚公说：
"你太蠢了！你
这把年纪，还想
搬走两座大山？"

11　愚公说："可我有子子孙孙呀，还怕搬不走它们？"智叟摇摇头走了。

12　山神听说以后，赶紧报告了天帝。

13　天帝被愚公
的精神所感动，
命令两个神仙把
大山背走了。

14　从此，愚公
家的门前出现了
一条大路，人们
进出方便多啦！

塞翁失马
sài wēng shī mǎ

注解　塞：边塞。翁：老头
儿。

释义　有坏事与好事在一
定条件下可以互相
转化之意。

出处　《淮南子·人间训》

1　古时候，北
方边塞有个养马
的老头，大家叫
他塞翁。

yǒu yī cì　　sài wēng diū le yī pǐ mǎ　　lín jū men dōu tì
2　　有一次，塞翁丢了一匹马。邻居们都替

tā wǎn xī　　quàn tā bié nán guò
他惋惜，劝他别难过。

tā què mǎn bù zài hū de shuō　　　　mǎ diū le　　　shuō bù dìng
3　　他却满不在乎地说："马丢了，说不定

néng gěi wǒ dài lái hǎo chù ne
能给我带来好处呢！"

4　果然，没有
多久，那匹马跑
回来了，还带来
了一匹胡人的骏
马。

5　邻居们知道
后，都不约而同
来向塞翁道喜。

6 塞翁却皱起眉头说："白白得来一匹马，弄不好会带来灾祸呢！"

7 邻居们莫名其妙，议论说："塞翁一定老糊涂了！"

8 　sài wēng de ér zi xǐ huān qí mǎ, yǒu
　塞 翁 的 儿 子 喜 欢 骑 马 ， 有

yī tiān tā qí zhe hú mǎ chū qù wán
一 天 ， 他 骑 着 胡 马 出 去 玩 。

9　谁 知 胡 马 很
不 驯 服， 把 塞 翁
的 儿 子 一 下 子 掀
翻 在 地 。

10　邻 居 们 听 说
孩 子 摔 断 了 一 条
腿， 又 都 赶 来 向
塞 翁 表 示 慰 问 。

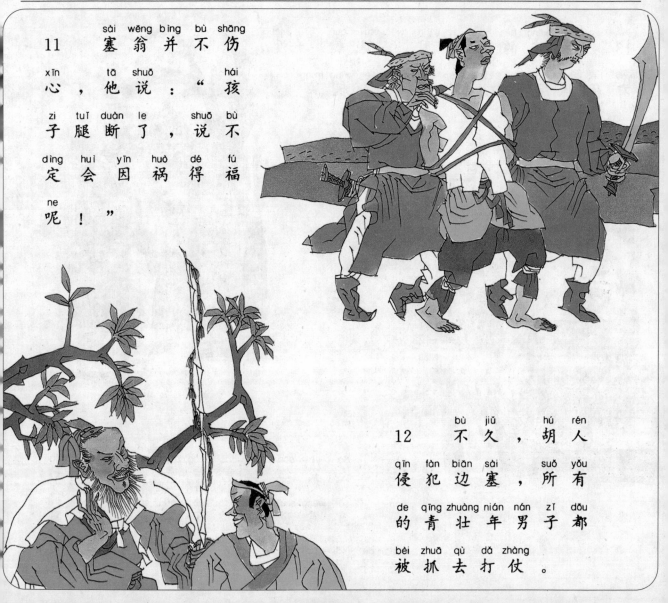

11　塞翁并不伤
心，他说："孩
子腿断了，说不
定会因祸得福
呢！"

12　不久，胡人
侵犯边塞，所有
的青壮年男子都
被抓去打仗。

13　塞翁的儿子因为腿瘸，没
有被抓走，总算保全了性命。

14　大家都夸塞翁真会神机妙
算。塞翁说："我不过是遇事
想得开罢了。"

叶公好龙
yè gōng hào lóng

注解　好：喜欢、爱好。

释义　比喻表面上爱好某
事物，实际上并不真
正爱好，甚至畏惧
它。

出处　《新序·杂事》

1　　春秋时期，
chūn qiū shí qī
楚国有个县官
chǔ guó yǒu gè xiàn guān
叶公，他因为
yè gōng　　　tā yīn wèi
喜欢龙而出名。
xǐ huān lóng ér chū míng

2　这事一直传到天上。真龙很感动，决定下凡拜访叶公。

3　这天，叶公正在午睡，忽然被轰隆隆的雷声惊醒。

tā qǐ shēn yī kàn   mā ya   yī tiáo
4　他起身一看，妈呀！一条

zhēn lóng cóng chuāng wài shēn jìn tóu lái   zhèng dèng
真龙从窗外伸进头来，正瞪

zhe tā ne
着他呢！

yè gōng xià de bàn
5　叶公吓得半

sǐ   gǎn jǐn táo pǎo
死，赶紧逃跑，

yòu bèi zhēn lóng de wěi bā
又被真龙的尾巴

bàn dǎo hūn le guò qù
绊倒，昏了过去。

6　　真龙觉得叶公并不欢迎
zhēn lóng jué de yè gōng bìng bù huān yíng
它，就闷闷不乐地飞走了。
tā jiù mèn mèn bù lè de fēi zǒu le

7　　邻居们知道
lín jū men zhī dào
了这件事后，都
le zhè jiàn shì hòu dōu
说："原来叶公
shuō yuán lái yè gōng
爱的是假龙啊！"
ài de shì jiǎ lóng a

专心致志
zhuān xīn zhì zhì

释义 一心一意，集中精神。

出处 《孟子·告子上》

1 古代有个
gǔ dài yǒu gè

著名的棋手叫
zhù míng de qí shǒu jiào

秋，他收了两
qiū tā shōu le liǎng

个学生。
gè xué shēng

2　有一天，秋教学生下棋。一个学生听得十分认真。

3　另一个学生虽然在听，但却东张西望，心不在焉。

4 忽然，天空传来大雁的叫声。他想：我要是能把它射下来多好！

5 课讲完了，秋叫两个学生下一盘棋。

6　那个想射雁的学生很快就
输了。

7　秋教训他说："是你不如
他聪明吗？不，是你不专心致
志啊！"

朝三暮四

zhāo sān mù sì

注解　朝:早上。暮:晚上。

释义　原指使用诈术,进行欺骗。后多指反复无常。

出处　《庄子·齐物论》

1　战国时期,
zhàn guó shí qī

宋国狙公养了一
sòng guó jū gōng yǎng le yī

群猴子。
qún hóu zi

2　狙公家境不
好，口粮也少，
没多久，家中粮
食就被猴子吃光
了。

3　狙公只好对猴子说："以
后改吃橡栗，早上三颗，晚上
四颗。"

4　猴子们一听早上只能吃三颗橡栗，都嫌少，气得乱蹦乱跳。

5　狙公灵机一动，说："那就改成早上四颗、晚上三颗吧！"

6 hóu zi men jiàn zǎo
猴子们见早
shàng duō le yī kē dōu
上多了一颗，都
mǎn yì le yáo tóu bǎi
满意了，摇头摆
wěi de gěi jū gōng kē
尾地给狙公磕
tóu
头。

7 jū gōng pāi zhe hóu zi de nǎo dài lǔ
狙公拍着猴子的脑袋，捋
zhe cháng hú zi hā hā dà xiào qǐ lái
着长胡子，哈哈大笑起来。

鱼目混珠

yú　mù　hùn　zhū

释义　原意指拿鱼的眼睛
　　　冒充珍珠。比喻以坏
　　　充好，以假乱真。

出处　《玉清经》

1　从前有个
　cóng qián yǒu ge

人叫满愿，他
rén jiào mǎn yuàn　　tā

得到一颗大珍
dé dào yī kē dà zhēn

珠，心里十分
zhū　xīn lǐ shí fēn

高兴。
gāo xìng

2　　　tā bǎ zhēn zhū shōu cáng qǐ lái　　bù qīng
　　　他 把 珍 珠 收 藏 起 来 ， 不 轻
yì ná gěi bié rén kàn
易 拿 给 别 人 看 。

3　　　mǎn yuàn de lín jū shòu liàng jiǎn dào yī kē
　　　满 愿 的 邻 居 寿 量 捡 到 一 颗
yú yǎn jīng　　yǐ wéi shì zhēn zhū　　yě shōu cáng
鱼 眼 睛 ， 以 为 是 珍 珠 ， 也 收 藏
qǐ lái
起 来 。

4　　shòu liàng féng rén jiù
　　寿 量 逢 人 就
shuō　　　　mǎn yuàn yǒu shén
说 ：" 满 愿 有 什
me liǎo bù qǐ　　wǒ yě
么 了 不 起 ， 我 也
yǒu yī kē dà zhēn zhū
有 一 颗 大 珍 珠 ！"

5　　yī cì，　yī gè
　　一 次 ， 一 个
cái zhǔ shēng le bìng　yī
财 主 生 了 病 ， 医
shēng shuō xū yòng zhēn zhū fěn
生 说 需 用 珍 珠 粉
zuò yào
做 药 。

6　　
cái zhǔ yuàn yòng gāo jià shōu mǎi zhēn zhū
财主愿用高价收买珍珠，
mǎn yuàn hé shòu liàng dōu dòng le xīn pǎo huí jiā
满愿和寿量都动了心，跑回家
ná lái zhēn zhū
拿来珍珠。

7　　
yī shēng yī kàn yī kē shì zhēn de
医生一看，一颗是真的，
yī kē shì jiǎ de zhēn shì yú mù hùn zhū ya
一颗是假的，真是鱼目混珠呀！

守株待兔
shǒu zhū dài tù

注解　株：露在地面上的树
　　　　桩子。

释义　比喻死守经验，不知
　　　　变通，讽刺妄想不劳
　　　　而获的侥幸心理。

出处　《韩非子·五蠹》

1　从前，宋国
cóng qián　sòng guó

有个农夫，他以
yǒu gè nóng fū　tā yǐ

种田为生。
zhòng tián wéi shēng

2 这一天，他耕田耕累了，坐在田垄上休息。

3 忽然，有只兔子跑过来，一头撞在树桩上，死了。

4 nóng fū fēi cháng gāo
农 夫 非 常 高
xìng shàng qián shí qǐ tù
兴 ， 上 前 拾 起 兔
zi ná huí jiā qù
子 ， 拿 回 家 去 。

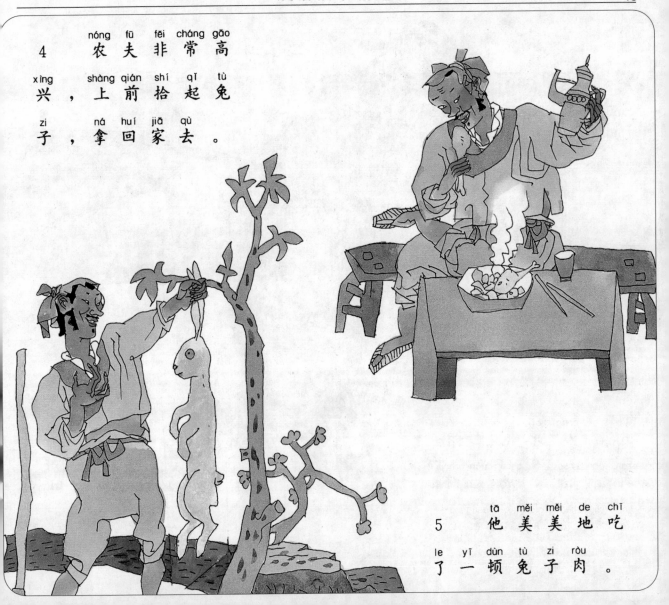

5 tā měi měi de chī
他 美 美 地 吃
le yī dùn tù zi ròu
了 一 顿 兔 子 肉 。

6　　从此，他不
cóng cǐ　　tā bù

再干活，成天守
zài gàn huó　chéng tiān shǒu

在树桩前，等着
zài shù zhuāng qián　　děng zhe

捡撞死的兔子。
jiǎn zhuàng sǐ de tù zi

7　　可是，他再
kě shì　　tā zài

也没有见到过兔
yě méi yǒu jiàn dào guò tù

子的影子，田地
zi de yǐng zi　　tián dì

却一天天荒芜
què yī tiān tiān huāng wú

了。
le

黔驴技穷
qián lú jì qióng

注解　黔：指现在的贵州省。穷：尽、完。

释义　比喻有限的一点本领已经用完。

出处　《三戒·黔之驴》

1　古时候，贵州没有驴子。有个人从外地运来一头，养在山脚下。

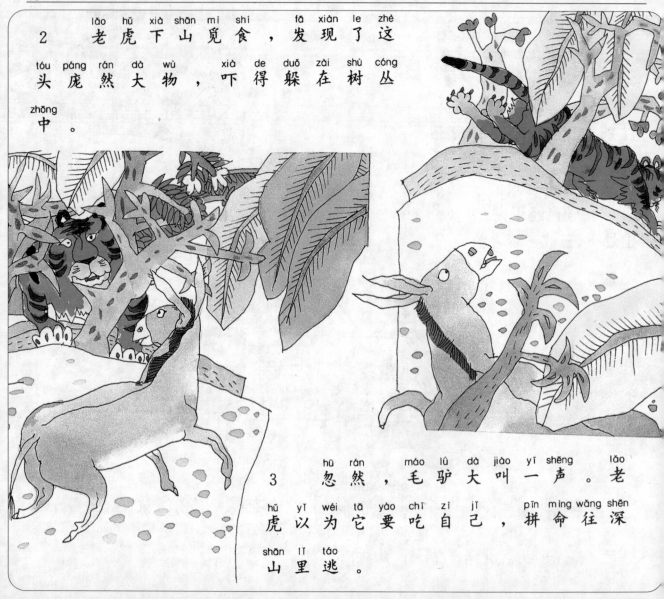

2 老虎下山觅食，发现了这头庞然大物，吓得躲在树丛中。

3 忽然，毛驴大叫一声。老虎以为它要吃自己，拼命往深山里逃。

4 guò le jǐ tiān，
过了几天，
lǎo hǔ tīng guàn le máo lú
老虎听惯了毛驴
de jiào shēng，kāi shǐ dà
的叫声，开始大
dǎn de kào jìn tā。
胆地靠近它。

5 máo lú bù nài fán
毛驴不耐烦
le，yáng qǐ tí zi，
了，扬起蹄子，
tī le lǎo hǔ yī jiǎo。
踢了老虎一脚。

6　这一脚虽然踢
中了老虎，但老
虎并不觉得疼。

7　老虎发现毛
驴的本领不过如
此，猛扑过去，
吃掉了毛驴。

一叶障目
yī yè zhàng mù

注解 障:遮蔽。

释义 比喻目光被眼前的细小事物遮蔽,以至于看不到远处、大处。

出处 《鹖冠子·天则》

1 楚国有个穷
chǔ guó yǒu gè qióng

书生,他整天胡
shū shēng，tā zhěng tiān hú

思乱想,要找一
sī luàn xiǎng，yào zhǎo yī

条生财之道。
tiáo shēng cái zhī dào

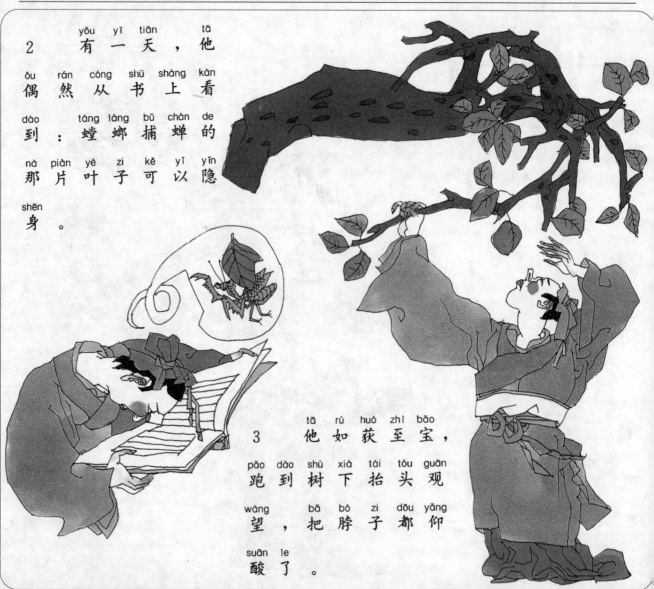

2　有一天，他偶然从书上看到：螳螂捕蝉的那片叶子可以隐身。

3　他如获至宝，跑到树下抬头观望，把脖子都仰酸了。

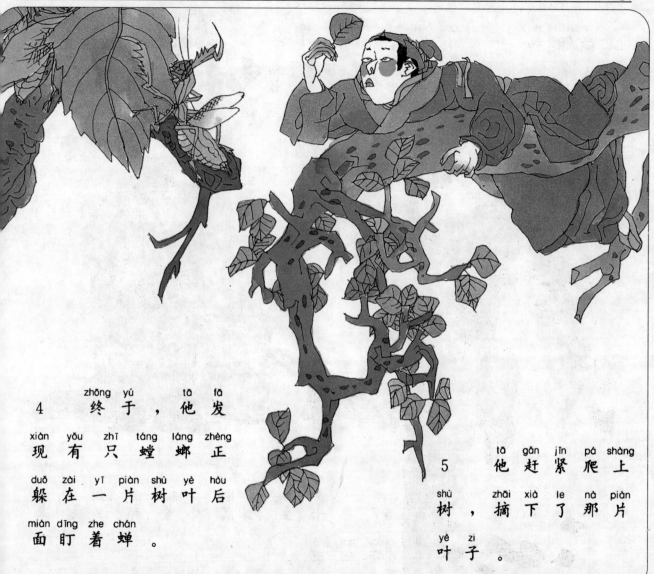

4　　终于，他发
现有只螳螂正
躲在一片树叶后
面盯着蝉。

5　　他赶紧爬上
树，摘下了那片
叶子。

6　　shuí zhī yī bù xiǎo xīn, nà piàn yè zi
　　　谁 知 一 不 小 心 , 那 片 叶 子

diào xià dì, hùn jìn luò yè zhōng, biàn bù chū
掉 下 地 , 混 进 落 叶 中 , 辨 不 出

lái le
来 了 。

7　　shū shēng bǎ luò yè quán bù sǎo qǐ lái,
　　　书 生 把 落 叶 全 部 扫 起 来 ,

dài huí jiā
带 回 家 。

8　他拿起一片又一片树叶，遮住眼睛，
问妻子看不看得见他。

9　妻子被折腾了一天，实在不耐烦了，就随口答道："看不见！"

10　书生欣喜若狂，跑上大街，心想："这下，我要发大财啦！"

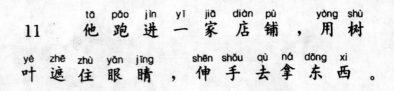

11　他跑进一家店铺，用树
叶遮住眼睛，伸手去拿东西。

12　不料，他当场
就被抓住，扭送到
县衙门去。

13　县官升堂审
问，书生一五一十
地招供，并且掏
出那片树叶。

14　满堂的人都笑破了肚子。
县官见他是个书呆子，便把
他放了。

此地无银
cǐ dì wú yín

三百两
sān bǎi liǎng

释义 比喻本想隐瞒、掩饰,结果反而暴露。

出处 古代民间故事

1 古时候,有个
gǔ shí hòu yǒu gè
名叫张三的人,
míng jiào zhāng sān de rén
他辛辛苦苦积攒
tā xīn xīn kǔ kǔ jī zǎn
了三百两银子。
le sān bǎi liǎng yín zi

2 他生怕银子被人偷去，觉得藏在哪儿都不安全。

3 他绞尽了脑汁，终于想出个好办法，趁着夜色，悄悄走进院内。

4　tā zài qiáng gēn wā
他 在 墙 根 挖
le gè dòng bǎ yín zi
了 个 洞 , 把 银 子
yòng yóu zhǐ bāo hǎo mái
用 油 纸 包 好 , 埋
jìn dòng lǐ
进 洞 里 。

此地无银
三佰两

5　tā yòu xiě le yī zhāng
他 又 写 了 一 张
cǐ dì wú yín sān bǎi liǎng
"此 地 无 银 三 百 两"
de zì tiáo tiē zài qiáng shàng
的 字 条 贴 在 墙 上 ,
zhè cái fàng xīn lí qù
这 才 放 心 离 去 。

6　谁知，这一切早被邻居王
二看得清清楚楚，他走过来，
偷走了银子。

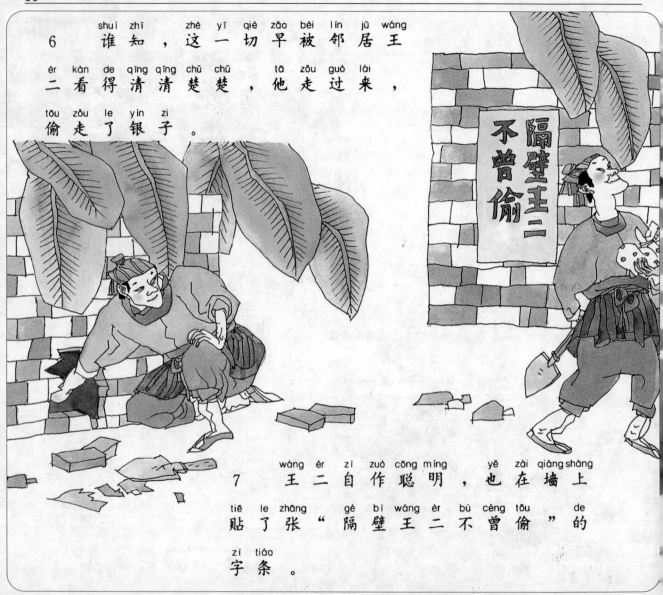

隔壁王二不曾偷

7　王二自作聪明，也在墙上
贴了张"隔壁王二不曾偷"的
字条。

南柯一梦
nán kē yī mèng

释义 指做梦,也比喻一场空欢喜。

出处 《南柯太守传》

1 从前,有个
cóng qián yǒu gè

读书人叫淳于
dú shū rén jiào chún yú

梦,他家院外墙
fén tā jiā yuàn wài qiáng

边长着株古槐。
biān zhǎng zhe zhū gǔ huái

2 有一天，淳于棼在槐树下喝醉了。

3 两个朋友扶他进屋睡下后，坐在一旁洗起脚来。

4　　méng lóng zhī zhōng， liǎng wèi shǐ
　　朦 胧 之 中 ， 两 位 使
chén jìn lái le ， yāo qǐng chún yú fén
臣 进 来 了 ， 邀 请 淳 于 棼
dào dà huái ān guó zuò kè
到 大 槐 安 国 作 客 。

5　　chún yú fén suí shǐ chén chū mén dēng chē，
　　淳 于 棼 随 使 臣 出 门 登 车 ，
yī huì ér biàn jìn le yī gè dòng xué
一 会 儿 便 进 了 一 个 洞 穴 。

6　顿时，晴天丽日、山村旷野尽在眼前。

7　进了王宫，国王与他亲切交谈，好像很欣赏他的才干。

8　　bù jiǔ　　　guó wáng guǒ rán rèn mìng tā wéi　　　nán kē tài
　　不久，国王果然任命他为"南柯太

shǒu　　　bìng bǎ gōng zhǔ jià gěi le tā
守"，并把公主嫁给了他。

9　　淳于棼一下子荣耀起来。
　　chún yú fén yī xià zi róng yào qǐ lái

他勤政爱民，很受百姓拥戴。
tā qín zhèng ài mín hěn shòu bǎi xìng yōng dài

10　　他做了3
　　tā zuò le

年大官，受到
nián dà guān shòu dào

国王的器重，
guó wáng de qì zhòng

生活也美满。
shēng huó yě měi mǎn

11 bù liào, tán luó guó tū rán rù qīn. guó wáng lìng chún yú fén dài bīng chū zhēng.

不料，檀萝国突然入侵。国王令淳于棼带兵出征。

12 chún yú fén bù dǒng jūn shì, cōng máng yìng zhàn, bèi dǎ de dà bài ér táo.

淳于棼不懂军事，匆忙应战，被打得大败而逃。

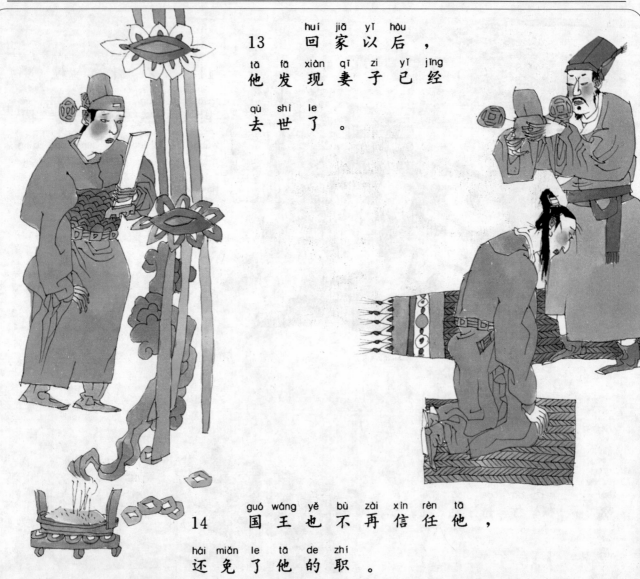

13　回家以后，
他发现妻子已经
去世了。

14　国王也不再信任他，
还免了他的职。

15　tā bèi ruǎn jìn qǐ lái ，　guò le hěn
他 被 软 禁 起 来 ， 过 了 很

jiǔ ，　cái bèi fàng huí jiā
久 ， 才 被 放 回 家 。

16　他穷困潦倒，连家里的狗也不认识他
了，对他"汪汪"直叫。

17　这时，他才
惊醒过来，发现
原来是一场梦。

18　chuāng wài 窗外，tài yáng 太阳 hái méi yǒu luò shān 还没有落山；wū 屋 nèi 内，péng yǒu hái zài xǐ 朋友还在洗 jiǎo 脚。

19　chún yú fén hěn qí 淳于棼很奇 guài lái dào yuàn wài de 怪，来到院外的 dà huái shù xià wā kāi 大槐树下，挖开 shù dòng yī kàn yǒu gè 树洞一看，有个 dà yǐ xué 大蚁穴。

20　蚁穴里有蚂蚁王，有泥土
堆成的楼阁、小城。

21　淳于棼长叹一声："30年
的荣华富贵，原来是南柯一梦
啊！"

tài gōng diào yú
太公钓鱼

注解 太公:姜太公,姓姜
名尚,字子牙,是建
立周朝的功臣。

释义 比喻心甘情愿地中
圈套。

出处 《武王伐纣平话》

shāng cháo mò nián
1 商 朝 末 年 ,

bào jūn zhòu wáng cháng yǐ shā
暴 君 纣 王 常 以 杀

rén qǔ lè
人 取 乐 。

2　姜子牙原是朝廷的大夫，他见纣王残暴，毅然放弃了官职。

3　他来到渭河岸边居住，这里归诸侯姬昌管辖。

4　姜子牙经常在河边垂钓，可是他钓鱼的方法实在奇怪！

5　他的鱼钩是直的，钩上不放鱼饵。他常说："姜太公钓鱼，愿者上钩。"

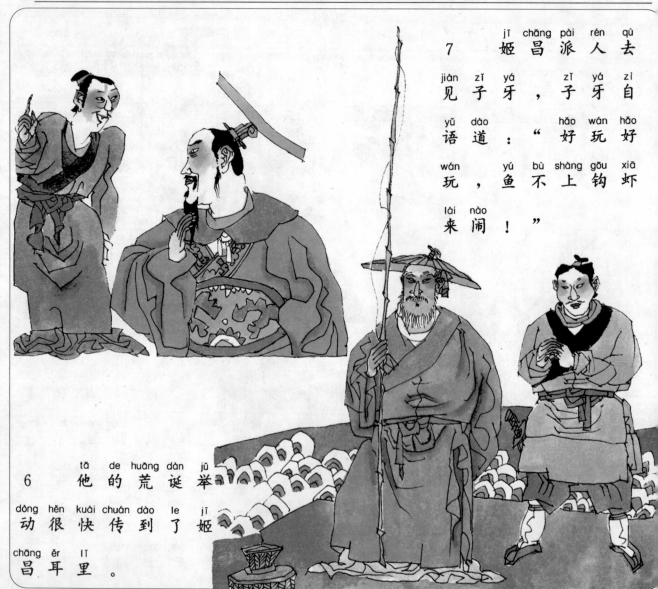

7　姬昌派人去见子牙，子牙自语道："好玩好玩，鱼不上钩虾来闹！"

6　他的荒诞举动很快传到了姬昌耳里。

8　士兵见子牙不理睬自己，只得空手回去禀报。

9　姬昌推测，这人大概有点
来历，又派一名官员去请姜子
牙。

10　子牙见了官
员，自语道："好
笑好笑，大鱼不
上钩儿小鱼闹。"

11 官员连忙回去报告，姬昌又惊又喜，说道："我找到稀世之才了！"

12 姬昌沐浴更衣，吃素3日，亲自到渭河岸边去拜访姜子牙。

13　　子牙见姬昌心诚，这才收
起鱼竿，答应出山。

14　　子牙被委以重任。他辅佐文王、武王，
消灭纣王，建立了周朝。

千金买笑
qiān jīn mǎi xiào

释义 指不惜花费极高的代价，来博取美女的欢笑。

出处 《东周列国志》第二回

1 周朝的周幽王是个昏君。他非常宠爱王妃褒姒。
zhōu cháo de zhōu yōu wáng shì gè hūn jūn tā fēi cháng chǒng ài wáng fēi bāo sì

2　　bāo sì měi tiān dōu
　　褒姒每天都
mèn mèn bù lè　　liǎn shàng
闷闷不乐，脸上
cóng lái méi yǒu xiào róng
从来没有笑容。

3　　zhōu yōu wáng jiào rén
　　周幽王叫人
bàn guǐ liǎn dòu bāo sì
扮鬼脸逗褒姒
xiào　　bāo sì wú dòng yú
笑，褒姒无动于
zhōng
衷。

4 tīng shuō bāo sì ài tīng sī chóu duàn de shēng
听 说 褒 姒 爱 听 撕 绸 缎 的 声
yīn ， yōu wáng yòu jiào gōng nǚ měi tiān sī chóu duàn
音 ， 幽 王 又 叫 宫 女 每 天 撕 绸 缎
gěi tā tīng
给 她 听 。

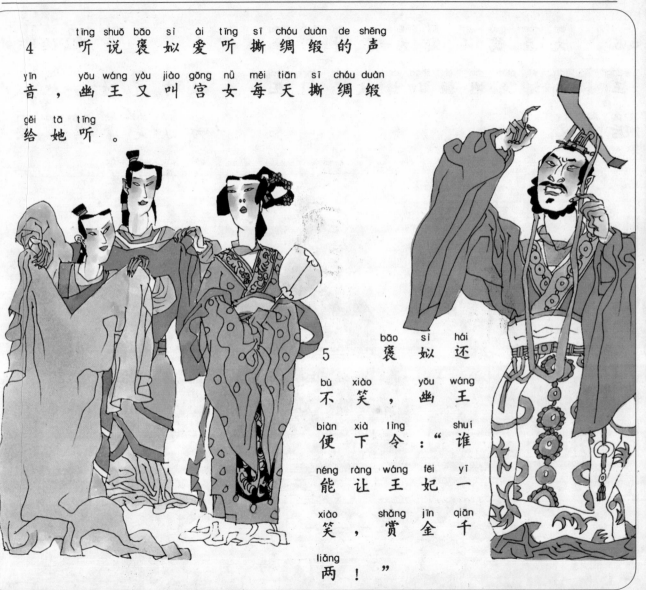

5 bāo sì hái
褒 姒 还
bù xiào， yōu wáng
不 笑 ， 幽 王
biàn xià lìng：" shuí
便 下 令 ：" 谁
néng ràng wáng fēi yī
能 让 王 妃 一
xiào， shǎng jīn qiān
笑 ， 赏 金 千
liǎng ！"
两 ！"

6　大臣虢石父为了讨好幽王，建议点燃骊山烽火，让王后开心。

7　大臣郑伯友极力反对，他认为这是拿国家安危开玩笑。

kě shì zhōu yōu wáng bù tīng tā de quàn gào dài zhe bāo sì

8 可是周幽王不听他的劝告，带着褒姒

xiàng lí shān jìn fā

向骊山进发。

9　　shàng le lí shān　　　　yōu wáng xià lìng léi xiǎng zhàn
　　上了骊山，幽王下令擂响战
gǔ　　diǎn rán fēng huǒ
鼓，点燃烽火。

10　　zhū hóu men yī jiàn fēng huǒ　yǐ wéi dí rén
　　诸侯们一见烽火，以为敌人
dǎ lái le　　lì jí dài lǐng bīng mǎ bēn xiàng lí shān
打来了，立即带领兵马奔向骊山。

11 赶到骊山以后，他们却看见幽王和褒姒正在城楼上寻欢作乐。

12 幽王派人下旨："没有敌人入侵，各位受惊了，都回去吧！"

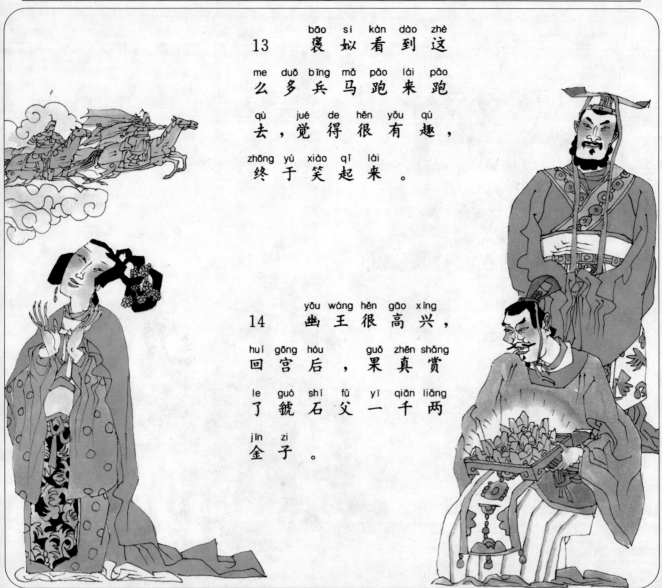

13 褒姒看到这么多兵马跑来跑去，觉得很有趣，终于笑起来。

14 幽王很高兴，回宫后，果真赏了虢石父一千两金子。

一日千里
yī rì qiān lǐ

释义 原形容马跑得极快，现形容进步快，发展迅速。

出处 《史记·秦本纪》

1 周穆王喜欢游玩，他听说造父最善于驾车，就召他进宫。

2　造父替穆王
选了8匹好马，
载着穆王到遥远
的西方去游历。

3　一路过平
原，越沙漠，来
到了昆仑山下的
西王母国。

4　　měi lì de xī wáng mǔ shè yàn kuǎn dài mù wáng ， mù wáng yě huí
　　美 丽 的 西 王 母 设 宴 款 待 穆 王 ， 穆 王 也 回

zèng gěi tā xǔ duō lǐ pǐn
赠 给 她 许 多 礼 品 。

5　　xī wáng mǔ péi tóng
　　西 王 母 陪 同

mù wáng dào chù yóu lǎn ，
穆 王 到 处 游 览 ，

mù wáng kāi xīn de wàng jì
穆 王 开 心 得 忘 记

le huí guó 。
了 回 国 。

6　　有一天，造
父把一位满头大
汗的武士带进宫
来。

7　　武士呈上一
封信，信上说：
有人趁穆王不在
国内，造反了。

mù wáng dà jīng shī sè　　lián máng xiàng xī wáng mǔ gào cí

8　穆王大惊失色，连忙向西王母告辞。

9　他又叫造父
tā yòu jiào zào fù

替他备马，立即
tì tā bèi mǎ，lì jí

启程回国。
qǐ chéng huí guó

10　造父施展出
zào fù shī zhǎn chū

全部本领，驾起
quán bù běn lǐng，jià qǐ

车，一日千里地
chē，yī rì qiān lǐ de

向镐京飞奔。
xiàng hào jīng fēi bēn

11　只用了 3 天
3 夜，穆王就赶
回了国都镐京。

12　穆王迅速调
集兵马，不久，
就平定了叛乱。

13　　zhōu mù wáng zhòng shǎng le zào fù
周穆王重赏了造父。

14　　cóng cǐ　　　　zào fù　　　jiù chéng
从此，"造父"就成
le jià chē gāo shǒu de dài míng cí
了驾车高手的代名词。

杀彘教子
shā zhì jiào zǐ

注解 彘：猪。

释义 比喻父母说话算数，教子诚实无欺。

出处 《韩非子·外储说左上》

1 春秋时期，
chūn qiū shí qī

鲁国有个人叫曾
lǔ guó yǒu gè rén jiào zēng

子，他是孔子的
zǐ　　tā shì kǒng zǐ de

学生。
xué shēng

2　　有一天，曾
zǐ qī zi yào gǎn jí
子妻子要赶集
qù　　ér zi yòu kū yòu
去，儿子又哭又
nào　　yě yào gēn qù
闹，也要跟去。

3　　曾子妻子骗他说："你在
jiā　 děng mā ma huí lái shā zhū gěi nǐ chī
家，等妈妈回来杀猪给你吃。"

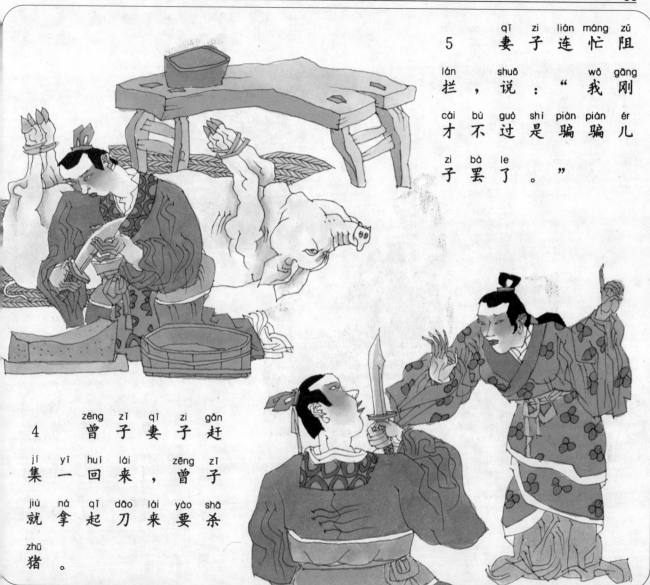

5　妻子连忙阻拦，说："我刚才不过是骗骗儿子罢了。"

4　曾子妻子赶集一回来，曾子就拿起刀来要杀猪。

6　zēng zǐ yán sù de
曽 子 严 肃 地

shuō　　　　nǐ qī piàn hái
说 ： " 你 欺 骗 孩

zi　　děng yú jiāo hái zi
子 ， 等 于 教 孩 子

xué huì piàn rén
学 会 骗 人 ！ "

7　zēng zǐ jiān chí bǎ
曽 子 坚 持 把

zhū shā le　　　ér zi zhōng
猪 杀 了 ， 儿 子 终

yú chī shàng le měi wèi de
于 吃 上 了 美 味 的

zhū ròu
猪 肉 。

多行不义必自毙

duō xíng bù yì
bì zì bì

注解 毙：死。

释义 多做不义的事情，必然会自取灭亡。

出处 《左传·隐公元年》

1 春秋时期，郑武公有两个儿子。他想把王位传给大儿子。

chūn qiū shí qī
zhèng wǔ gōng yǒu liǎng gè ér zi
tā xiǎng bǎ wáng wèi
chuán gěi dà ér zi

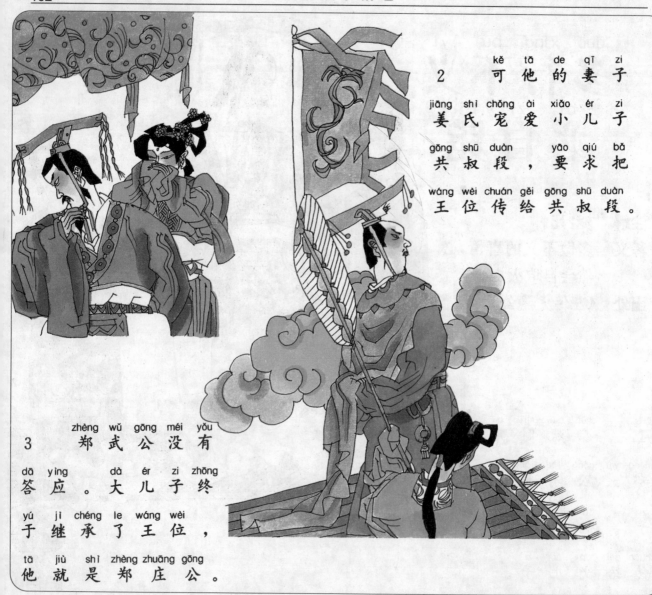

2　可他的妻子
姜氏宠爱小儿子
共叔段，要求把
王位传给共叔段。

3　郑武公没有
答应。大儿子终
于继承了王位，
他就是郑庄公。

4 姜氏很不高兴。她一心想除掉郑庄公，便要求多分地给共叔段。

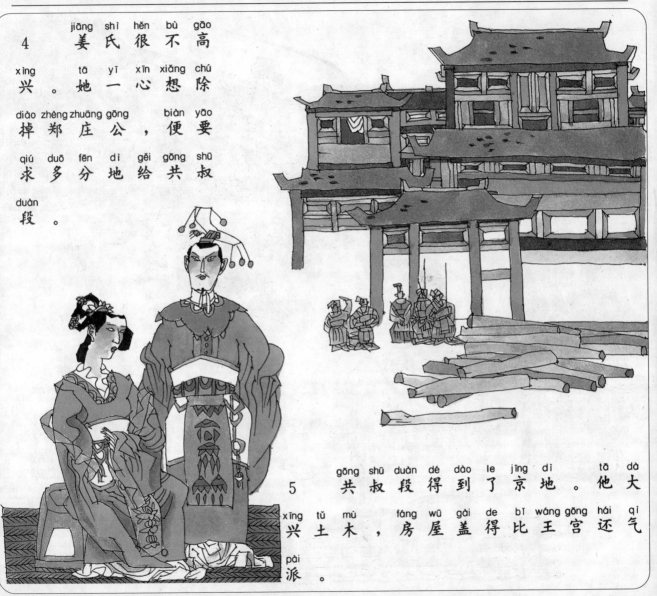

5 共叔段得到了京地。他大兴土木，房屋盖得比王宫还气派。

6　大夫祭仲很忧虑，劝庄公警惕。庄公叹息说："有母亲支持他呀！"

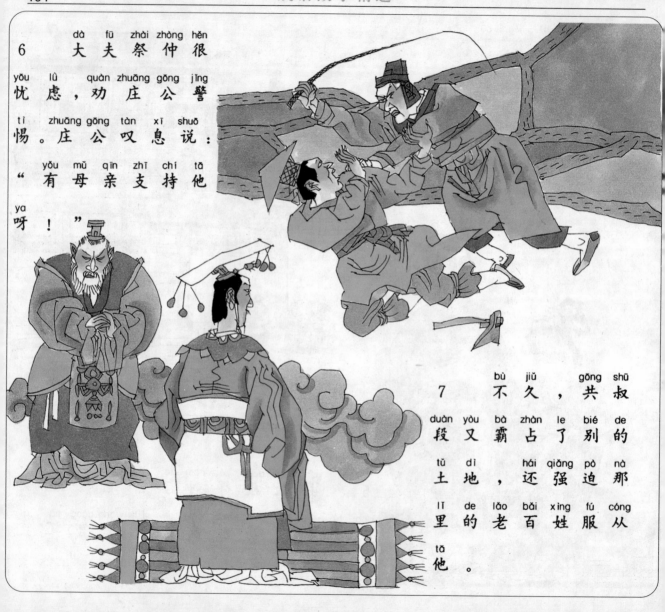

7　不久，共叔段又霸占了别的土地，还强迫那里的老百姓服从他。

8　公子吕又来提醒庄公，庄公胸有成竹
地说："多行不义必自毙！"

9　共叔段招兵
买马，制造兵器，
阴谋进攻国都。

10　姜氏也秘密
与他配合，准备
到时候打开城门
接应。

11　　zhuāng gōng bǎ zhè yī qiè dōu kàn zài yǎn lǐ
　　庄 公 把 这 一 切 都 看 在 眼 里 ，派 了 200 辆 战

chē　　tū rán bāo wéi le jīng dì
车 ，突 然 包 围 了 京 地 。

12　jīng dì de xǔ duō
　京 地 的 许 多

shì bīng fēn fēn tóu xiáng le
士 兵 纷 纷 投 降 了

zhèng zhuāng gōng
郑 庄 公 。

13 共叔段企图突围，却被乱箭射死。

14 为了惩罚姜氏，郑庄公命令她搬出了京城。

sān lìng wǔ shēn
三令五申

注解　令：命令。申：表达、
　　　　说明。

释义　一再命令、告诫。

出处　《史记·孙子吴起列
　　　　传》

1　孙武是春秋
时期著名的军事
家，他写了一本
《孙子兵法》。

2　吴王看了这本书，非常欣
赏，召孙武进宫。

3　吴王把180名
宫女交给孙武操
练，想试试孙武
的指挥才能。

4　sūn wǔ bǎ gōng nǚ 孙武把宫女 fēn chéng liǎng duì pài wú 分成两队，派吴 wáng de liǎng gè chǒng jī dāng 王的两个宠姬当 duì zhǎng 队长。

5　sūn wǔ zhàn zài zhǐ huī tái shàng jiào jī gǔ chuán lìng 孙武站在指挥台上，叫击鼓传令。

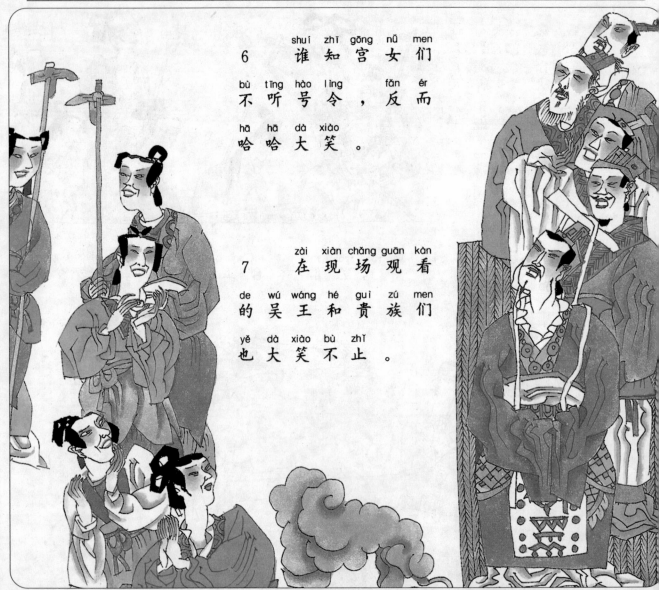

6　谁知宫女们不听号令，反而哈哈大笑。

7　在现场观看的吴王和贵族们也大笑不止。

8　孙武不动声色，又把号令
重复了一遍，再次击鼓传令。

9 那些宫女仍
然嘻嘻哈哈，两
位宠姬更是笑得
前仰后合。

10 孙武十分恼
火，下令将两位
宠姬斩首示众。

11　吴王忙向孙武求情。孙武说："我三令五申，不听者当斩！"

12　两位宠姬终于被斩首示众，宫女们这才明白军令不同儿戏。

13　她们个个规矩，服从指挥。

14　吴王信服了，授命孙武指挥吴军。吴国渐渐成为春秋强国。

一鼓作气
yī gǔ zuò qì

注解 一鼓：第一次击鼓。
作：振作。气：勇气。

释义 第一次击鼓时士气振
奋。现在常形容鼓足
干劲，一往无前。

出处 《左传·庄公十年》

1 春秋时期，
chūn qiū shí qī
齐国攻打鲁国。
qí guó gōng dǎ lǔ guó
鲁庄公在曹刿陪
lǔ zhuāng gōng zài cáo guì péi
同下，出征迎
tóng xià chū zhēng yíng
敌。
dí

2　齐军击鼓进攻，鲁庄公要擂鼓迎战，曹刿却说："时机未到。"

3　齐军第二次击鼓，鲁军还是按兵不动。

4　　齐军第三次击鼓时，曹刿才
说："现在我们可以还击了！"

5　　鲁军在战鼓的激励下，奋勇
冲杀。齐军大败而逃。

6　　战斗结束后，鲁庄公问曹刿为什么要这
样做。

7　曹刿说："齐
军三次击鼓，已
无士气；我们一
鼓作气，所以能
胜。"

大义灭亲
dà yì miè qīn

注解 大义：正义、正气。亲：
亲属。

释义 为了正义，对犯罪的亲
人不徇私情，使他们受
到惩罚。

出处 《左传·隐公四年》

1 春秋时期，
chūn qiū shí qī

卫桓公有个同父
wèi huán gōng yǒu gè tóng fù

异母的弟弟叫州
yì mǔ de dì di jiào zhōu

吁。
xū

2　州吁对哥哥当国君很不服气，他与心腹石厚密谋，要杀掉哥哥。

3　卫桓公要去朝见周天子。州吁预先在西门外设下埋伏。

4　卫桓公来到西门，州吁假
惺惺地向他敬酒。

5　州吁假装失
手，酒盅落在地
上。

6　他弯下腰，
乘机拔出匕首，
将卫桓公刺死。

7　埋伏的士兵
一拥而上，解除
了卫桓公卫兵的
武装。

8　州吁就这样
篡夺了王位，他
封石厚为上大夫。

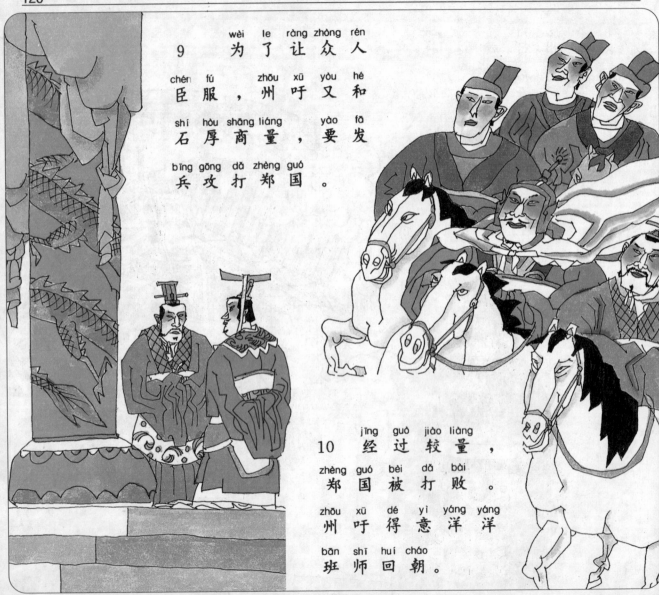

9　为了让众人
臣服，州吁又和
石厚商量，要发
兵攻打郑国。

10　经过较量，
郑国被打败。
州吁得意洋洋
班师回朝。

11　谁知百姓并
不拥戴他，说他
害了卫国不算，
又去害郑国。

12　州吁叫石厚快想办
法，石厚说最好请他的
父亲石碏出山。

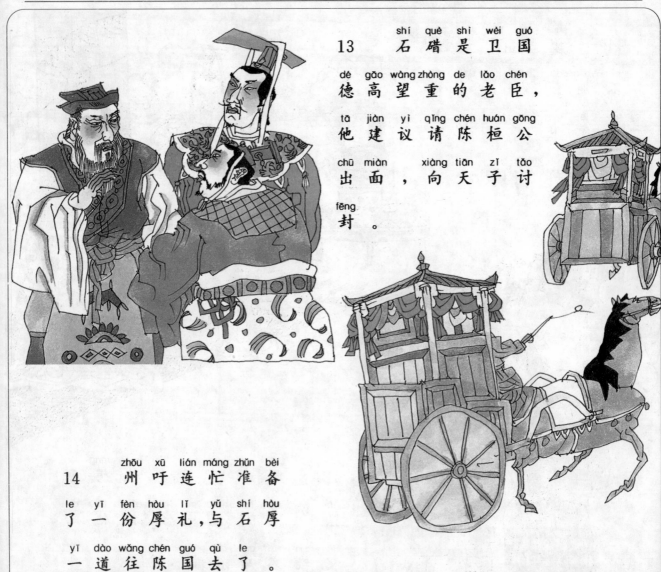

13　石碏是卫国
德高望重的老臣，
他建议请陈桓公
出面，向天子讨
封。

14　州吁连忙准备
了一份厚礼，与石厚
一道往陈国去了。

15 石碏却悄悄派人送信给陈桓公，请他帮卫国除掉两个败类。

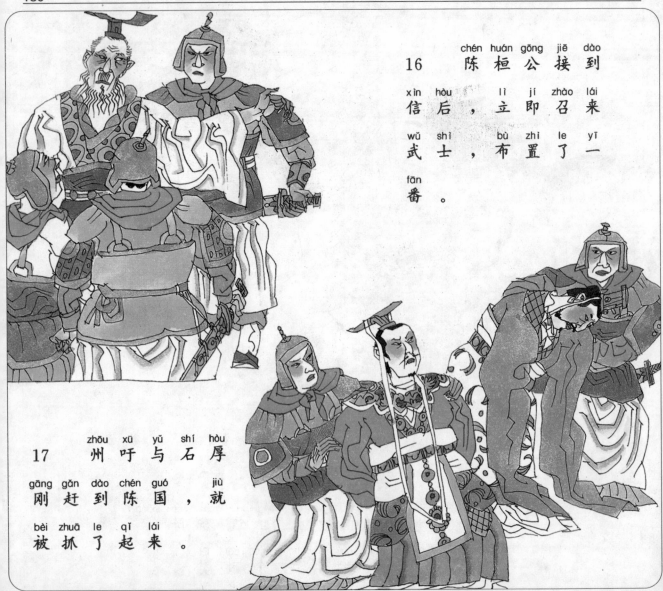

16　陈桓公接到
chén huán gōng jiē dào

信后，立即召来
xìn hòu　　lì jí zhào lái

武士，布置了一
wǔ shì　　bù zhì le yī

番。
fān

17　州吁与石厚
zhōu xū yǔ shí hòu

刚赶到陈国，就
gāng gǎn dào chén guó　　jiù

被抓了起来。
bèi zhuā le qǐ lái

18 卫国得到消息，派大臣去陈国，把州吁处死了。

19 因石厚是石碏的儿子，许多大臣主张不杀石厚。

20　石碏坚决不
同意。他派一个
家臣到陈国去，
杀掉了石厚。

21　石碏为了国
家的利益，大义
灭亲。他受到了
人们的赞扬。

华而不实

huá ér bù shí

注解 华：同"花"。实：果实。

释义 光开花，不结果。比喻只说漂亮话而不干实事。

1 晋国有个大臣叫阳处父，他长得相貌堂堂、英俊潇洒。

2 有一次，阳处父到卫国去。回来的路上，他在一家客店过夜。

3 店主名叫宁嬴，他见阳处父举止不凡，顿时产生了好感。

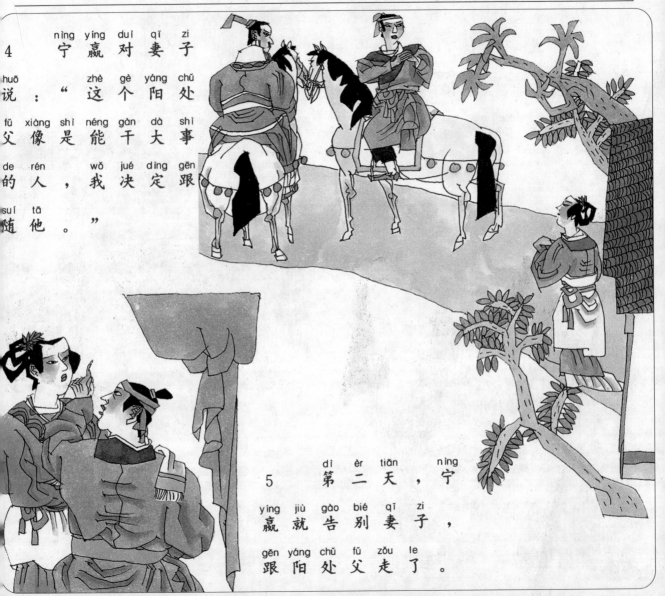

4　níng yíng duì qī zi
宁　赢　对　妻　子
huō　　zhè gè yáng chǔ
说：“这个阳处
fù xiàng shì néng gàn dà shì
父　像　是　能　干　大　事
de rén　wǒ jué dìng gēn
的　人，我　决　定　跟
suí tā
随　他。”

5　dì èr tiān　níng
第　二　天，宁
yíng jiù gào bié qī zi
赢　就　告　别　妻　子，
gēn yáng chǔ fù zǒu le
跟　阳　处　父　走　了。

6　可是不久宁嬴又回来了。他说："阳处父华而不实，会倒霉的！"

7　果然，一年之后，阳处父被人杀死了。

病入膏肓

bìng rù gāo huāng

注解 膏肓：古人把心尖脂肪叫"膏"，把心脏和隔膜之间叫"肓"。

释义 形容病重无法医治。也比喻事态严重，无法挽救。

出处 《左传·成公十年》

1 公元前 581
gōng yuán qián

年，晋景公突然
nián   jìn jǐng gōng tū rán

病倒了。
bìng dǎo le

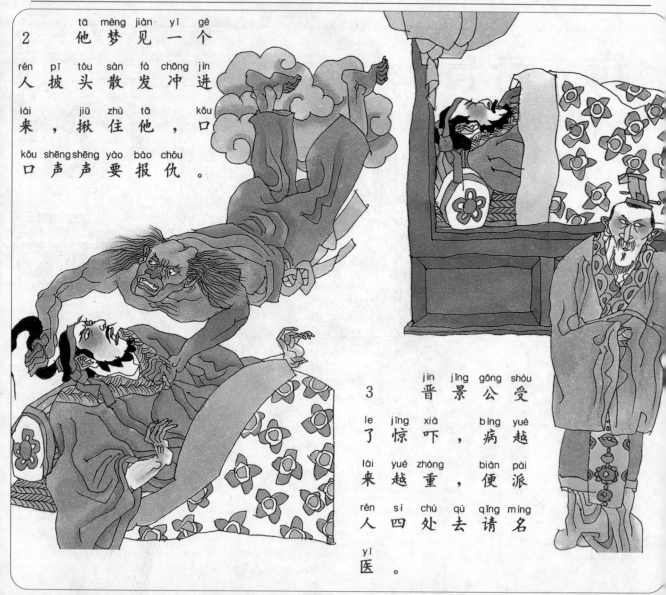

2　他梦见一个人披头散发冲进来，揪住他，口口声声要报仇。

3　晋景公受了惊吓，病越来越重，便派人四处去请名医。

4　秦桓公得到消息，向晋国推荐了一位名叫缓的医生。

5　缓还在路上时，晋景公又做了个梦，梦见两个小人在对话。

6　一个小人说道：“缓本领高强，咱们还是快逃吧。”

7　另一个小人拉着他往膏肓之间跑，说：“躲在这里就没事了。”

8　　缓赶到了晋国，立即进宫给晋景公治病。

9　他观察了晋
景公的脸色和舌
苔，又给晋景公
搭脉。

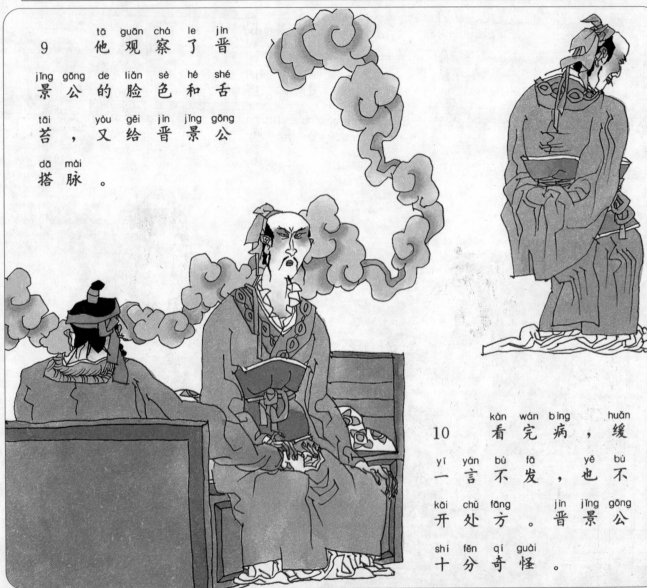

10　看完病，缓
一言不发，也不
开处方。晋景公
十分奇怪。

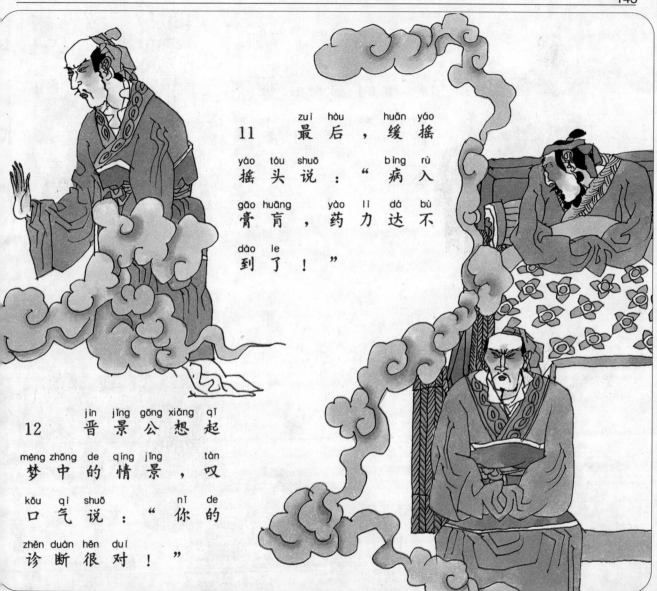

11 最后，缓摇
zuì hòu   huǎn yáo
摇头说："病入
yáo tóu shuō   bìng rù
膏肓，药力达不
gāo huāng yào lì dá bù
到了！"
dào le

12 晋景公想起
jìn jǐng gōng xiǎng qǐ
梦中的情景，叹
mèng zhōng de qíng jǐng   tàn
口气说："你的
kǒu qì shuō   nǐ de
诊断很对！"
zhěn duàn hěn duì

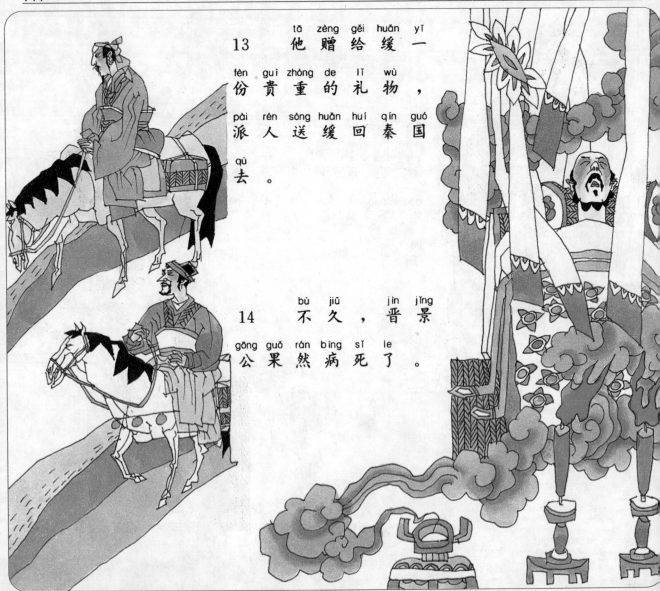

13　他赠给缓一份贵重的礼物，派人送缓回秦国去。

14　不久，晋景公果然病死了。

画蛇添足

huà shé tiān zú

注解　足：脚。

释义　画蛇时给蛇添上脚。
　　　　比喻多此一举，弄巧
　　　　成拙。

出处　《战国策·齐策二》

1　古时候，楚
国有个人在祭祀
祖先时，赏给手
下门客一壶酒。

2　　　jǐ gè mén kè shāng dìng　shuí xiān zài dì
　　　几 个 门 客 商 定 ： 谁 先 在 地

shàng huà hǎo yī tiáo shé ， zhè hú jiǔ jiù guī
上 画 好 一 条 蛇 ， 这 壶 酒 就 归

shuí
谁 。

3　　　yǒu gè mén kè huà
　　　有 个 门 客 画

de hěn kuài ， bù yī huì
得 很 快 ， 不 一 会

ér jiù huà hǎo le yī tiáo
儿 就 画 好 了 一 条

shé
蛇 。

4 他端起酒壶正要喝酒，却发现别的门客仍在一笔一划地画着。

5 他很得意，想再显示一番，于是端着酒壶，给蛇画脚。

6　　就在这时，
另一个门客也画
好了一条蛇，便
从他手中夺过酒
壶。

7　　那门客说：
"蛇没有脚，你
给它画脚干啥？
酒该归我！"

退避三舍
tuì bì sān shè

注解 舍：古代行军 30 里为一舍。

释义 主动退让 90 里。比喻对人让步，回避冲突。

出处 《左传·僖公二十三年》

1 春秋时，晋
chūn qiū shí jìn
国宫廷发生权力
guó gōng tíng fā shēng quán lì
斗争，晋公子重
dòu zhēng jìn gōng zǐ chóng
耳被迫逃离晋
ěr bèi pò táo lí jìn
国。
guó

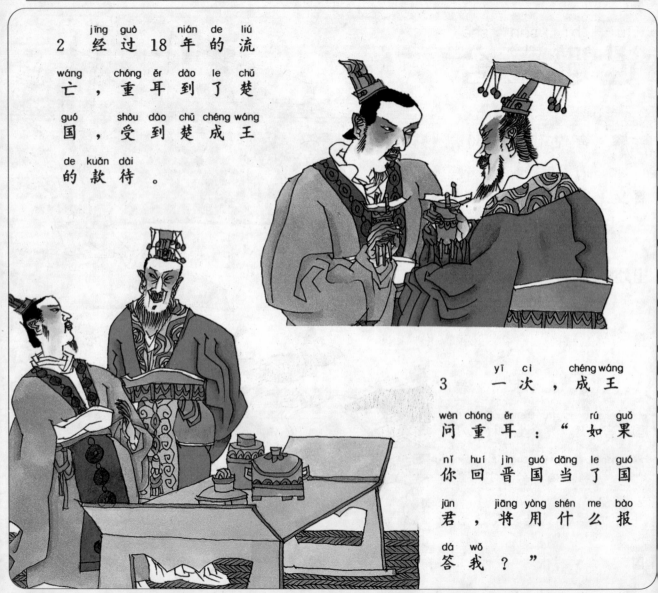

2　经过 18 年的流
亡，重耳到了楚
国，受到楚成王
的款待。

3　一次，成王
问重耳："如果
你回晋国当了国
君，将用什么报
答我？"

4　重耳答道："如果晋楚两国将来交战，我就命晋军先退90里。"

5　重耳在秦国的帮助下，终于回到晋国做了国君，称晋文公。

6　　有一年，晋楚两国交战。晋文公信守诺言，率军后撤90里。

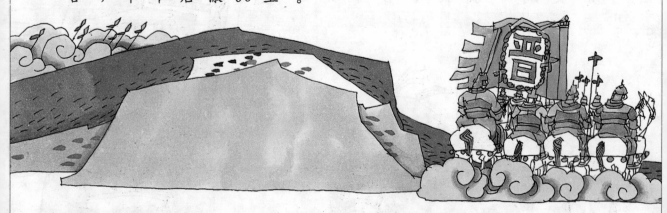

7　　由于晋文公指挥有方，加上楚将轻敌，晋军最终取得胜利。

行将就木

xíng jiāng jiù mù

注解 行将：即将、就要。就木：进棺材，表示死亡。

释义 快要进棺材了。比喻人将近死亡。

出处 《左传·僖公二十三年》

1 晋公子重耳在外流亡期间，曾经到狄国避难。

jìn gōng zǐ
chóng ěr zài wài liú
wáng qī jiān ，céng
jīng dào dí guó bì
nàn

2　　dí guó rén hěn zūn
狄 国 人 很 尊
jìng chóng ěr, bǎ fú huò
敬 重 耳 , 把 俘 获
de měi nǚ jì wěi jià gěi
的 美 女 季 隗 嫁 给
chóng ěr
重 耳 。

3　　chóng ěr zài dí guó
重 耳 在 狄 国
shēng huó le duō nián
生 活 了 10 多 年 ,
jì wěi wèi tā shēng le liǎng
季 隗 为 他 生 了 两
gè ér zi
个 儿 子 。

4 晋献公死之后，重耳的弟弟夷吾当了国君，派人来狄国刺杀重耳。

5 重耳闻讯，决定留下妻儿，带谋士们逃到齐国去。

6　他对季隗说：
"25年后，我再
不来接你，你就
嫁人吧。"

7　季隗流着泪说："那时，
我行将就木，还嫁什么人呢？"

tù sǐ gǒu pēng
兔死狗烹

注解　烹：煮。

释义　兔子被逮光后，猎狗
就被主人煮着吃了。
比喻事情成功后，出
过力的人被抛弃或
被消灭。

出处　《史记·越王勾践世
家》

1　公元前493年，吴王夫差领兵攻打越

国，包围了越国都城会稽。

2　越王勾践采
纳大夫范蠡的建
议，假装投降，
对吴王称臣。

3　吴王夫差让
勾践当他的马夫。
勾践在吴国受尽
了羞辱。

4 　hòu lái， yuè guó lìng yī wèi dà fū wén
　　后来，越国另一位大夫文

zhòng qǔ dé wú wáng xìn rèn， quàn wú wáng fàng gōu
种取得吴王信任，劝吴王放勾

jiàn huí guó
践回国。

5 　gōu jiàn huí guó yǐ
　　勾践回国以

hòu， wò xīn cháng dǎn，
后，卧薪尝胆，

yī xīn yào chóng zhèn yuè
一心要重振越

guó， bào chóu xuě chǐ
国，报仇雪耻。

6　范蠡、文种
　　fàn lǐ　wén zhòng

也尽心辅佐越王。
yě jìn xīn fǔ zuǒ yuè wáng

越国渐渐强盛起
yuè guó jiàn jiàn qiáng shèng qǐ

来。
lái

7　勾践见时
　　gōu jiàn jiàn shí

机成熟，便兴
jī chéng shú　　biàn xīng

兵讨伐吴国。
bīng tǎo fá wú guó

8 越军攻下吴国，夫差无奈，拔剑自杀了。

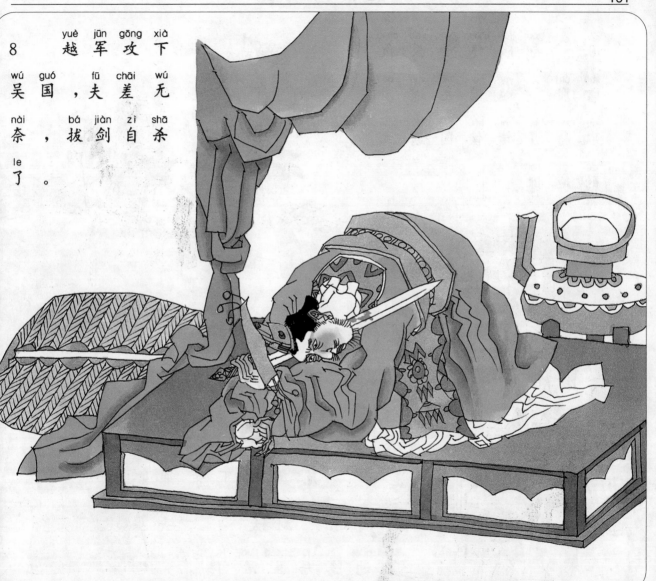

9　勾践终于报仇
雪耻，越国也逐步
取得了诸侯国霸主
的地位。

10　范蠡抛下荣华
富贵，到太湖上去
过隐居生活了。

11 他给文种写了一封信，信上有句话说："鸟尽弓藏，兔死狗烹。"

12 文种没有听取范蠡的忠告，把信烧了。

13　后来，勾践果然担心文种
有朝一日会造反，暗暗下令除
掉文种。

14　文种悔恨交加，挥
剑自杀。

东施效颦
dōng shī xiào pín

注解 效:仿照。颦:皱眉头。

释义 比喻不知道别人到底好在哪里,盲目模仿,结果适得其反。

出处 《庄子·天运》

1 西施是春秋
xī shī shì chūn qiū
时越国有名的美
shí yuè guó yǒu míng de měi
女,一副天姿国
nǚ yī fù tiān zī guó
色,人见人夸。
sè rén jiàn rén kuā

2　一次，西施 xīn kǒu tòng 心口痛，走路时 biàn yòng shǒu àn zhù xiōng 便用手按住胸 kǒu 口，同时双眉紧 zhòu 皱。

3　乡亲们见了， dōu shuō xī shī zhè fù mú 都说西施这副模 yàng bié yǒu yī fān fēng yùn 样别有一番风韵。

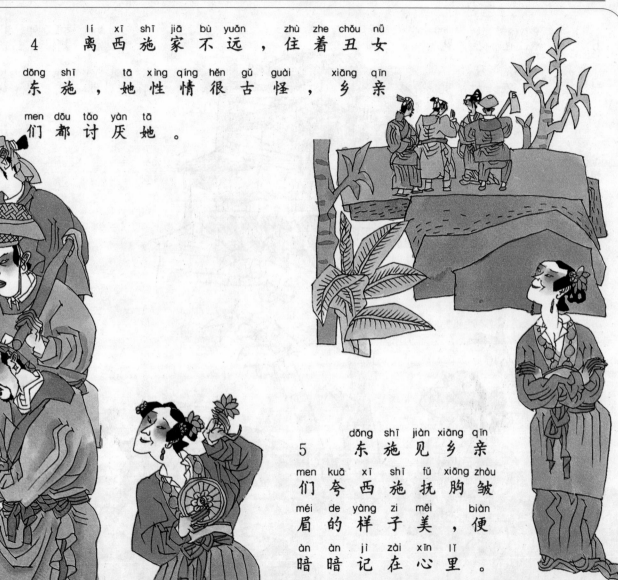

4　　lí xī shī jiā bù yuǎn　zhù zhe chǒu nǚ
　　离西施家不远，住着丑女

dōng shī　　tā xìng qíng hěn gǔ guài　xiāng qīn
东施，她性情很古怪，乡亲

men dōu tǎo yàn tā
们都讨厌她。

5　　dōng shī jiàn xiāng qīn
　　东施见乡亲

men kuā xī shī fǔ xiōng zhòu
们夸西施抚胸皱

méi de yàng zi měi　biàn
眉的样子美，便

àn àn jì zài xīn lǐ
暗暗记在心里。

6　她也抚胸
皱眉，在村里
走来走去，
想让别人夸她。

7　谁知乡亲
们更加厌恶她
了，都躲得远
远的。

卧薪尝胆
wò xīn cháng dǎn

注解　薪：柴草。胆：苦胆。

释义　睡在柴草上，尝着苦胆。比喻刻苦自勉，发愤图强。

出处　《史记·越王勾践世家》

1　春秋末
chūn qiū mò

年，吴军攻
nián　　wú jūn gōng

破越国都城，
pò yuè guó dū chéng

将越王勾践
jiāng yuè wáng gōu jiàn

俘虏。
fú lǔ

2　吴王夫差让
wú wáng fū chāi ràng

勾践给自己当马
gōu jiàn gěi zì jǐ dāng mǎ

夫。勾践忍辱负
fū　gōu jiàn rěn rǔ fù

重，假装顺从。
zhòng　jiǎ zhuāng shùn cóng

3　勾践回国后，
gōu jiàn huí guó hòu

一心要报仇。为
yī xīn yào bào chóu　wèi

磨练意志，他每
mó liàn yì zhì　tā měi

晚睡在柴草上。
wǎn shuì zài chái cǎo shàng

4　　　　他还在屋里吊了只苦胆，
饭前尝尝它的滋味，使自己牢
记耻辱。

5　　勾践亲自扶犁耕田，又叫夫人纺纱织布。

6 在他的带领下，越国渐渐强盛起来，实力超过了吴国。

7 勾践抓住时机，发兵打败了吴国。吴王夫差自杀而亡。

因势利导
yīn shì lì dǎo

注解 因：顺着。势：趋势。
利导：引导。

释义 顺着事物发展的趋势，加以引导。

出处 《史记·孙子吴起列传》

1　孙 膑 是 战 国
时 齐 国 著 名 军 事
家 ， 他 曾 与 魏 国
大 将 庞 涓 一 起 学
习 兵 法 。

2　庞涓嫉妒孙膑的才华，将他骗到魏国，设计剜去了他的膝盖骨。

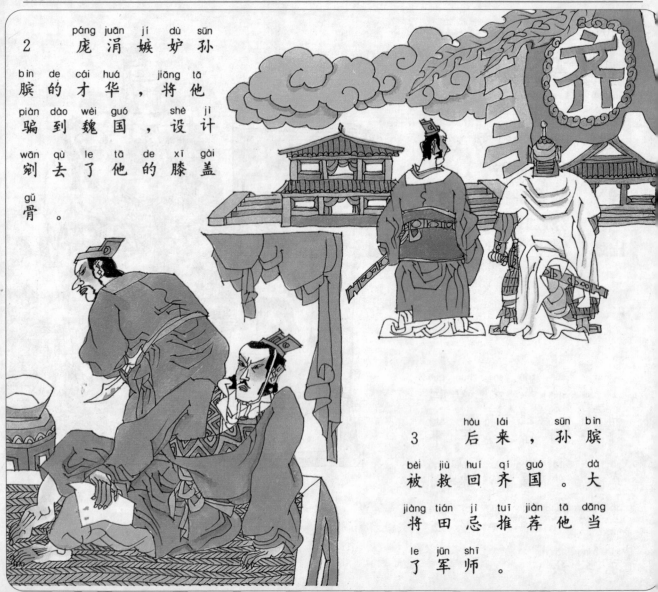

3　后来，孙膑被救回齐国。大将田忌推荐他当了军师。

4　gōng yuán qián nián
公元前342年，
páng juān fèng mìng gōng dǎ hán
庞涓奉命攻打韩
guó　　sūn bìn yǔ tián jì
国，孙膑与田忌
fā bīng jiù hán
发兵救韩。

5　sūn bìn bù zhí jiē
孙膑不直接
qù jiù hán guó　　ér shì
去救韩国，而是
huī jūn zhí zhǐ wèi dū dà
挥军直指魏都大
liáng
梁。

6　大梁告急！庞涓连忙从韩国撤军，但这时齐军已进入魏国境内。

7　孙膑知道魏军一向轻视齐军，决定因势利导，引诱庞涓中计。

8 他采用减灶之计。第一天扎营时，命人砌供10万军士吃饭的灶。

9　次日减半，第三天又减至3万，造成齐国士兵开小差的假象。

10　庞涓果然上当，丢下步兵，领着骑兵追赶，一直追到马陵。

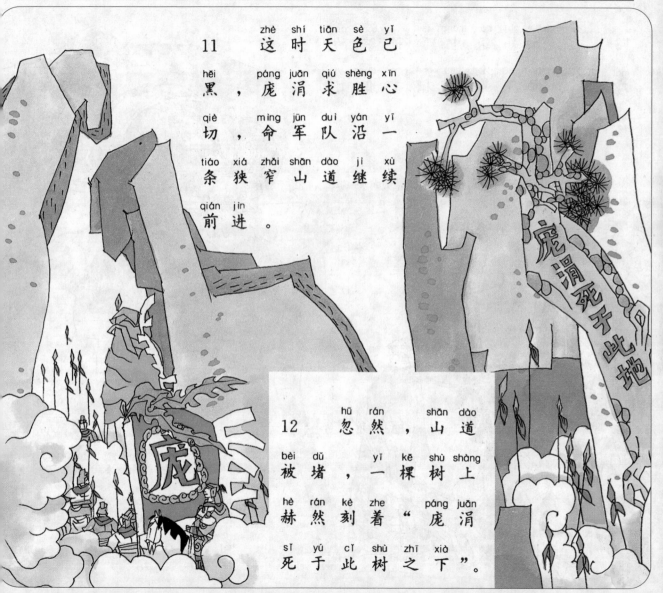

11 这时天色已黑，庞涓求胜心切，命军队沿一条狭窄山道继续前进。

12 忽然，山道被堵，一棵树上赫然刻着"庞涓死于此树之下"。

13　庞涓知道中了孙膑的
理伏，忙下令后撤，但已
经来不及了。

14　魏军死伤无
数。庞涓走投无
路，哀叹一声，
挥剑自杀了。

起死回生
qǐ sǐ huí shēng

释义 意思是能把将死的人医活，多用来形容医生的医术高明。也用于形容把没有希望的事挽回过来。

出处 《史记·扁鹊仓公列传》

1 扁鹊是战国
　　biǎn què shì zhàn guó

时的名医，他的
shí de míng yī　　tā de

医术很高明。
yī shù hěn gāo míng

2　一次，扁鹊
在虢国行医，听
说虢国太子得了
暴病刚刚死去。

3　扁鹊赶紧进
宫诊察，发现太
子尚有轻微的脉
动和微弱的呼吸。

4　扁鹊对虢国
国君说："太子
并没有死，只是
得了昏厥病。"

5　扁鹊用针灸
疗法为太子治病，
不一会儿，太子
就苏醒过来。

6　　虢国国君和大臣们都欣喜万分，夸扁鹊有起死回生的本领。

7　　扁鹊说道："并非我有起死回生的本领，而是因为太子没真死呀！"

完璧归赵

wán bì guī zhào

注解 完：完好。璧：扁圆形、中间有孔的玉器。

释义 原指战国时蔺相如把和氏璧完好送回赵国。比喻把原物完好无损地归还主人。

出处 《史记·廉颇蔺相如列传》

1 战国时，赵惠文王得到了举世罕见的美玉和氏璧，把它当作国宝。

2　秦昭襄王想占有美玉，派人去赵国，要用 15 座城池换和氏璧。

3　赵王虽清楚这是秦王的诡计，却又不敢拒绝秦王的要求。

4　这时，有人把蔺相如推荐给赵王，赵王便派蔺相如出使秦国。

5　蔺相如带着和氏璧去见秦王。秦王接过美玉，爱不释手。

6　秦王与大臣、
宫女一起传看美
玉，只字不提割
城的事。

7　蔺相如看出
秦王无诚意，便
说美玉上有斑，
要指给秦王看。

8　秦王把美玉
qín wáng bǎ měi yù
还给蔺相如。蔺
huán gěi lìn xiàng rú lìn
相如紧紧抱住美
xiàng rú jǐn jǐn bào zhù měi
玉，倚柱而立。
yù yǐ zhù ér lì

9 　蔺相如怒发冲冠，指责秦王不守信用，要把美玉往柱子上砸。

10 　秦王只得让人取来地图，把15座城池指给蔺相如看。

11　蔺相如还要
求秦王斋戒5天，
举行盛大典礼。
秦王也答应了。

12　蔺相如料定
秦王会违约，一
回到住所，便派
人把美玉送回赵
国。

13　5 天(tiān)后(hòu)，蔺(lìn)
相(xiàng)如(rú)去(qù)见(jiàn)秦(qín)王(wáng)，
说(shuō)秦(qín)国(guó)必(bì)须(xū)先(xiān)割(gē)
城(chéng)，他(tā)才(cái)献(xiàn)上(shàng)美(měi)
玉(yù)。

14　秦(qín)王(wáng)知(zhī)道(dào)，即(jí)使(shǐ)杀(shā)
了(le)蔺(lìn)相(xiàng)如(rú)，也(yě)得(dé)不(bù)到(dào)和(hé)
氏(shì)璧(bì)，只(zhǐ)好(hǎo)放(fàng)他(tā)回(huí)国(guó)。

负荆请罪

fù jīng qǐng zuì

注解 负：背着。荆：荆条，这里指用荆条做的刑杖。

释义 原意是背着荆条向对方请罪。现用来比喻向对方认错，请求对方处罚。

出处 《史记·廉颇蔺相如列传》

1 蔺相如两次
lìn xiàng rú liǎng cì

出使秦国，出色
chū shǐ qín guó　chū sè

地完成了使命，
de wán chéng le shǐ mìng

被赵王拜为上
bèi zhào wáng bài wéi shàng

卿。
qīng

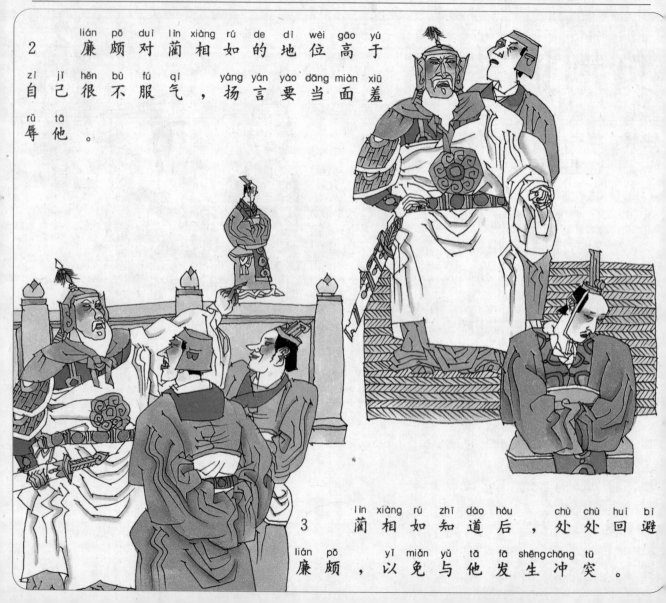

2　廉颇对蔺相如的地位高于自己很不服气，扬言要当面羞辱他。

3　蔺相如知道后，处处回避廉颇，以免与他发生冲突。

4　　lìn xiàng rú de shǒu
　　　蔺　相　如　的　手
xià rén rèn wéi lìn xiàng rú
下　人　认　为　蔺　相　如
dǎn xiǎo pà shì xiǎng lí
胆　小　怕　事　，　想　离
kāi lìn xiàng rú
开　蔺　相　如　。

5　　lìn xiàng rú shuō
　　　蔺　相　如　说　，
tā zhè yàng zuò shì wèi guó
他　这　样　做　是　为　国
jiā zhuó xiǎng bù rán qín
家　着　想，　不　然　秦
guó huì chéng xū ér rù
国　会　乘　虚　而　入　。

6　　
lián pō wàn fēn xiū kuì　　guāng zhe shàng shēn
廉颇万分羞愧，光着上身，

bēi zhe jīng tiáo　　dào lìn xiàng rú jiā qǐng zuì
背着荆条，到蔺相如家请罪。

7　　
cóng cǐ　　liǎng rén chéng le shēng sǐ yǔ gòng
从此，两人成了生死与共

de péng yǒu　　gòng tóng wèi zhào guó chū lì
的朋友，共同为赵国出力。

纸上谈兵

zhǐ shàng tán bīng

注解 兵:军事。

释义 原意是指根据兵书谈论军事。比喻没有实践经验,只会照搬书本知识夸夸其谈。

出处 《史记·廉颇蔺相如列传》

1 战国时,赵
zhàn guó shí zhào

国有位名将叫赵
guó yǒu wèi míng jiàng jiào zhào

奢。
shē

2　赵奢的儿子

赵括自小熟读兵书，谈起军事滔滔不绝。

3　赵括自以为天下无敌，但赵奢却认为他只会纸上谈兵。

4　赵奢临死前，嘱咐儿子将
来切不可统率三军，不然一定
会打败仗。

5　一年，秦国发兵攻
打赵国，赵将廉颇领兵
坚守长平。

6　长平久攻不
下，秦国便派奸
细到赵国散布谣
言，说秦军最怕
赵括。

7　赵王听了信
以为真，决定召
回廉颇，改派赵
括任大将。

8　上卿蔺相如坚决反对，说赵括无实战经验，不能当三军统帅。

9　　赵括的母亲
也上殿见赵王，
劝说赵王改变主
张，可赵王不听。

10　赵括到了长平后，一改廉
颇打持久战的策略，决定主动
出击。

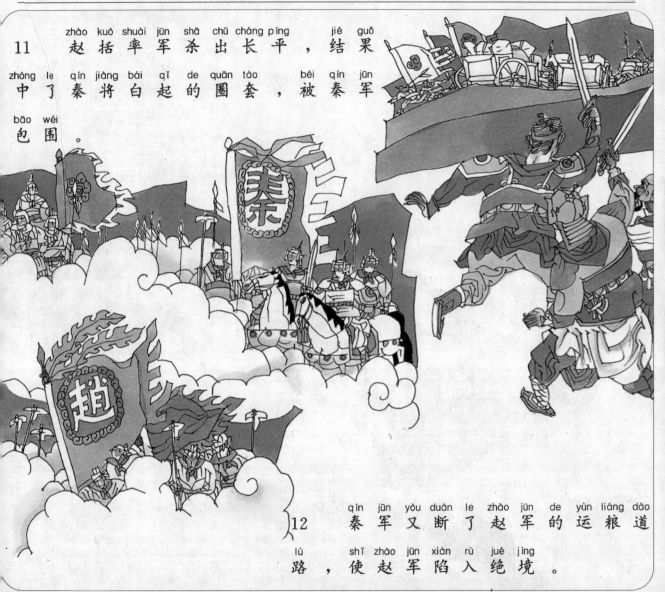

11　zhào kuò shuài jūn shā chū cháng píng ，jié guǒ
赵　括　率　军　杀　出　长　平　，结　果

zhòng le qín jiàng bái qǐ de quān tào ，bèi qín jūn
中　了　秦　将　白　起　的　圈　套　，被　秦　军

bāo wéi
包　围　。

12　qín jūn yòu duàn le zhào jūn de yùn liáng dào
秦　军　又　断　了　赵　军　的　运　粮　道

lù ，shǐ zhào jūn xiàn rù jué jìng 。
路　，使　赵　军　陷　入　绝　境　。

13　赵括被迫突围，被秦军乱箭射死。

14　40万赵军投降秦军，被白起全部活埋。从此，赵国一蹶不振。

毛遂自荐
máo suì zì jiàn

注解 毛遂：战国时人名。
　　　　自荐：自我推荐。

释义 比喻自告奋勇，自我
　　　　推荐。

出处 《史记·平原君列
　　　　传》

1 有一年，秦
yǒu yī nián, qín
国攻打赵国，重
guó gōng dǎ zhào guó, zhòng
兵包围了赵都邯
bīng bāo wéi le zhào dū hán
郸。赵国形势危
dān. zhào guó xíng shì wēi
急。
jí

2
zhào wáng máng pài píng
赵王忙派平
yuán jūn chū shǐ chǔ guó
原君出使楚国，
qǐng qiú chǔ wáng yǔ zhào guó
请求楚王与赵国
lián méng fā bīng kàng qín
联盟，发兵抗秦。

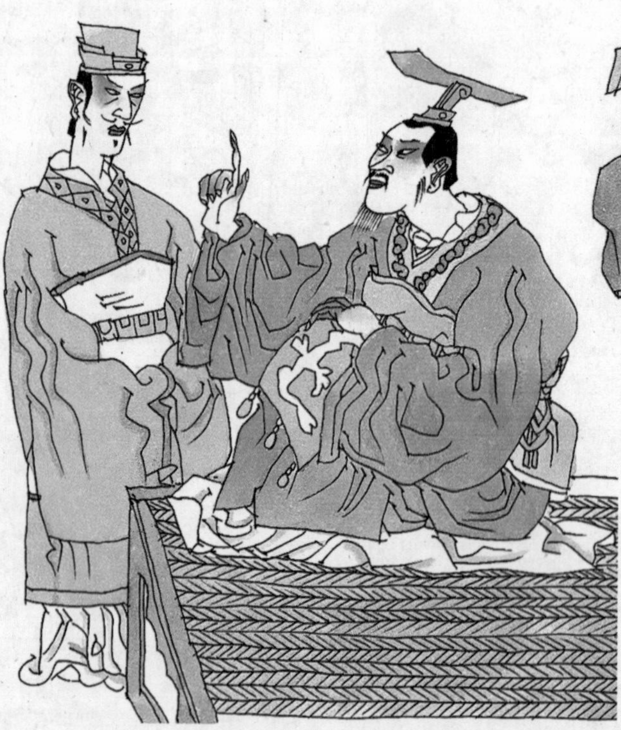

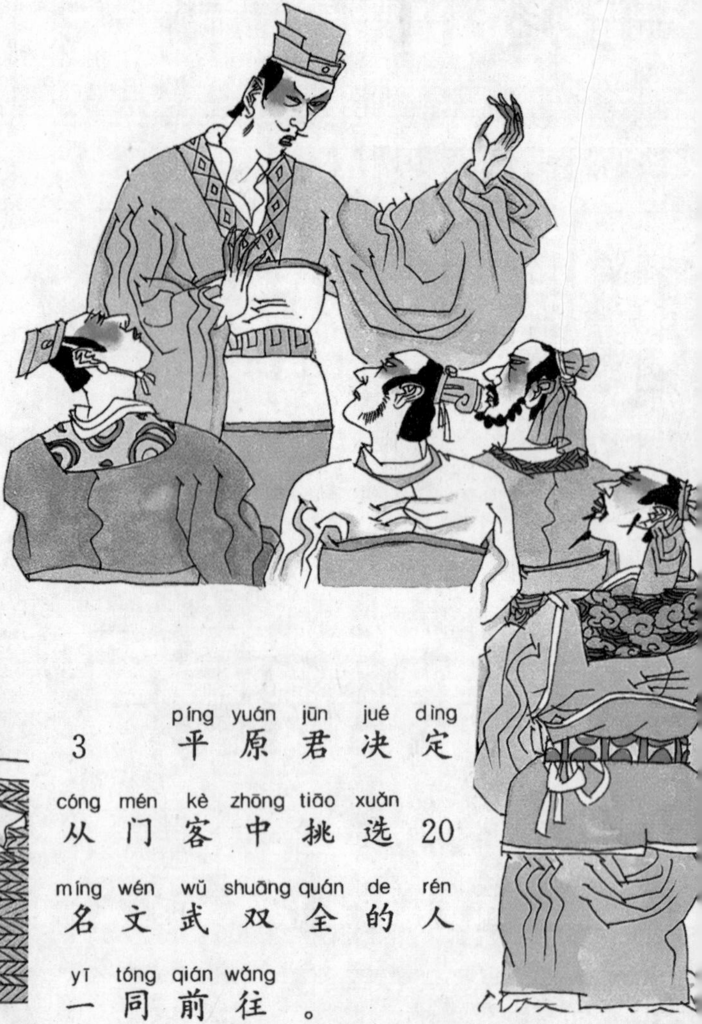

3
píng yuán jūn jué dìng
平原君决定
cóng mén kè zhōng tiāo xuǎn
从门客中挑选20
míng wén wǔ shuāng quán de rén
名文武双全的人
yī tóng qián wǎng
一同前往。

4 选来选去，还缺一人。门客毛遂自荐说:"让我也凑个数吧。"

5 平原君勉强同意。因为毛遂在他家 3 年,一直无所作为。

6　　dào chǔ guó hòu，chǔ wáng hé píng yuán jūn
　　到楚国后，楚王和平原君
zài diàn shàng yì shì，tán le bàn tiān，què háo
在殿上议事，谈了半天，却毫
wú jié guǒ
无结果。

7　　píng yuán jūn hěn zháo jí，zuò zài diàn xià
　　平原君很着急，坐在殿下
de mén kè yě hěn zháo jí
的门客也很着急。

8　只见毛遂走
到殿上，高声问：
"出兵之事，为
何还定不下来？"

9 楚王弄清毛
chǔ wáng nòng qīng máo

遂只是个门客，
suì zhǐ shì gè mén kè

便恶声恶气地命
biàn è shēng è qì de mìng

令毛遂退到殿下
lìng máo suì tuì dào diàn xià

去。
qù

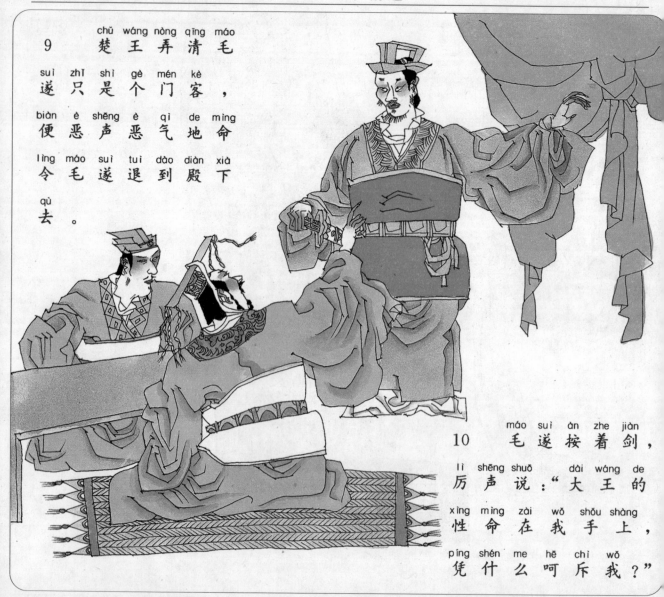

10 毛遂按着剑，
máo suì àn zhe jiàn

厉声说："大王的
lì shēng shuō dài wáng de

性命在我手上，
xìng mìng zài wǒ shǒu shàng

凭什么呵斥我？"
píng shén me hē chì wǒ

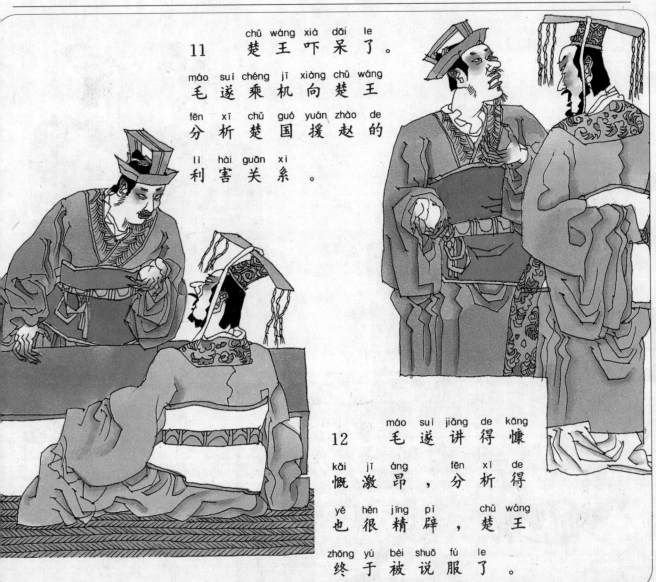

11 楚王吓呆了。
毛遂乘机向楚王
分析楚国援赵的
利害关系。

12 毛遂讲得慷
慨激昂，分析得
也很精辟，楚王
终于被说服了。

13　楚国与赵国签订盟约，发
兵救赵。秦军见势不妙，赶紧
撤兵。

14　邯郸之围解
除了。从此，平
原君十分敬重毛
遂，待他为上宾。

贪小失大
tān xiǎo shī dà

注解 贪：贪图。

释义 因贪图小利而造成
重大损失。

出处 《新论·贪爱》

1 战国时，秦
zhàn guó shí qín

国多次攻打蜀
guó duō cì gōng dǎ shú

国，但因蜀道艰
guó dàn yīn shǔ dào jiān

险，每次都半途
xiǎn měi cì dōu bàn tú

而废。
ér fèi

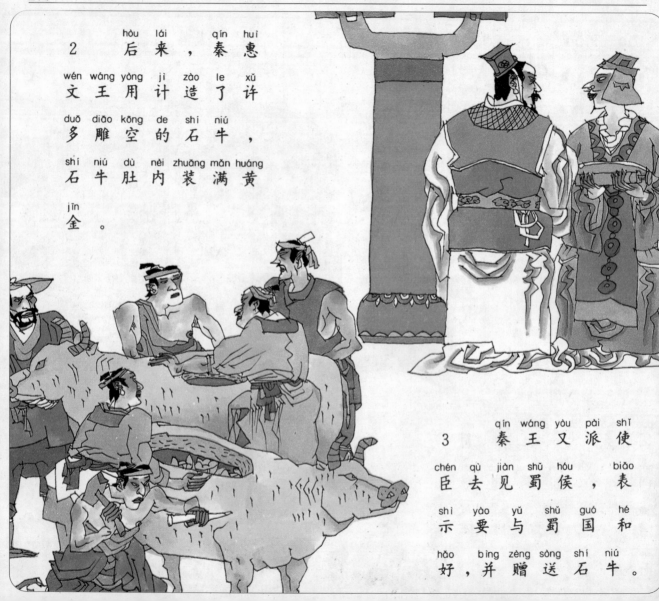

2　后来，秦惠文王用计造了许多雕空的石牛，石牛肚内装满黄金。

3　秦王又派使臣去见蜀侯，表示要与蜀国和好，并赠送石牛。

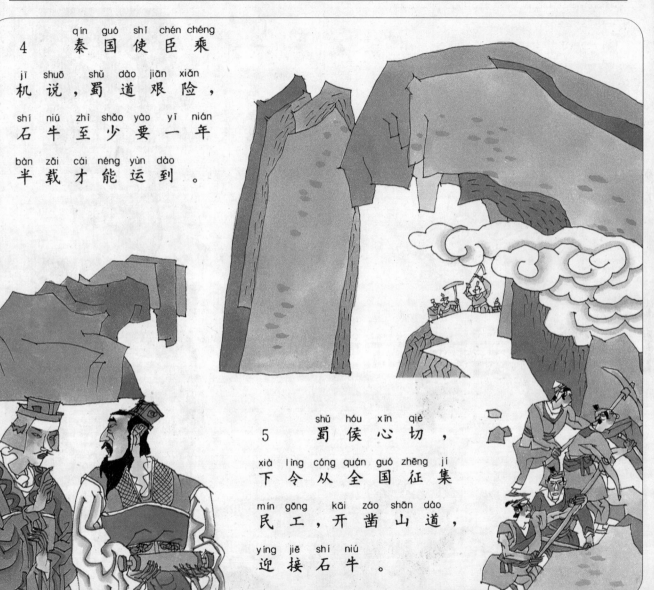

4　秦国使臣乘
机说，蜀道艰险，
石牛至少要一年
半载才能运到。

5　蜀侯心切，
下令从全国征集
民工，开凿山道，
迎接石牛。

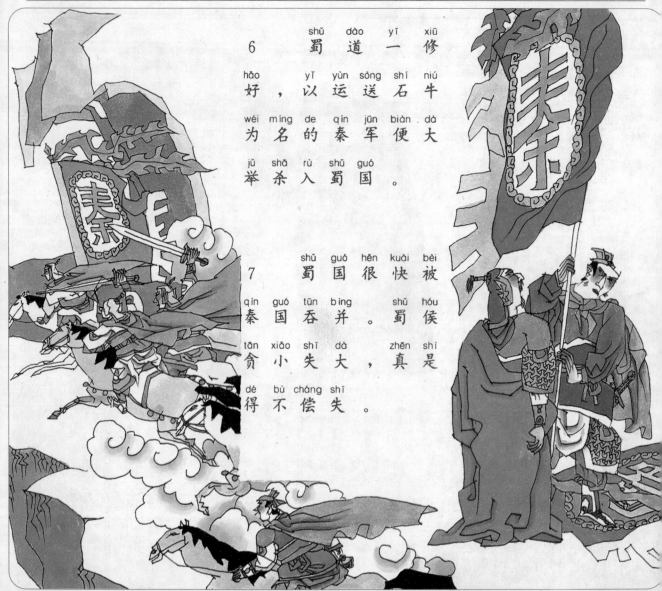

6　蜀道一修
好，以运送石牛
为名的秦军便大
举杀入蜀国。

7　蜀国很快被
秦国吞并。蜀侯
贪小失大，真是
得不偿失。

鸡鸣狗盗
jī míng gǒu dào

注解 鸡鸣：学公鸡鸣叫。
　　　狗盗：装狗偷盗。

释义 原指有卑微技能的人。后多用来比喻微不足道的卑下技能。

出处 《史记·孟尝君列传》

1 战国时期，
zhàn guó shí qī

齐国相国孟尝君
qí guó xiàng guó mèng cháng jūn

礼贤下士，广招
lǐ xián xià shì，guǎng zhāo

门客，最多时有
mén kè，zuì duō shí yǒu

3000人。
rén

2　一次，孟尝君出访秦国，献给秦王好多礼物，其中有件白狐裘。

3　这件白狐裘很名贵，秦王十分喜爱，命人收藏起来。

4 　qín wáng yào bài mèng cháng jūn wéi xiàng guó
秦王要拜孟尝君为相国，

dà chén fēn fēn jìn jiàn　shuō mèng cháng jūn huì àn
大臣纷纷进谏，说孟尝君会暗

zhōng bāng zhù qí guó
中帮助齐国。

5 　qín wáng jué de dà
秦王觉得大

jiā shuō de yǒu dào lǐ
家说得有道理，

jiù xià lìng bǎ mèng cháng jūn
就下令把孟尝君

hé tā de mén kè ruǎn jìn
和他的门客软禁

qǐ lái
起来。

6　孟尝君请人

向秦王宠妃燕姬求助，燕姬表示要得到白狐裘才肯帮忙。

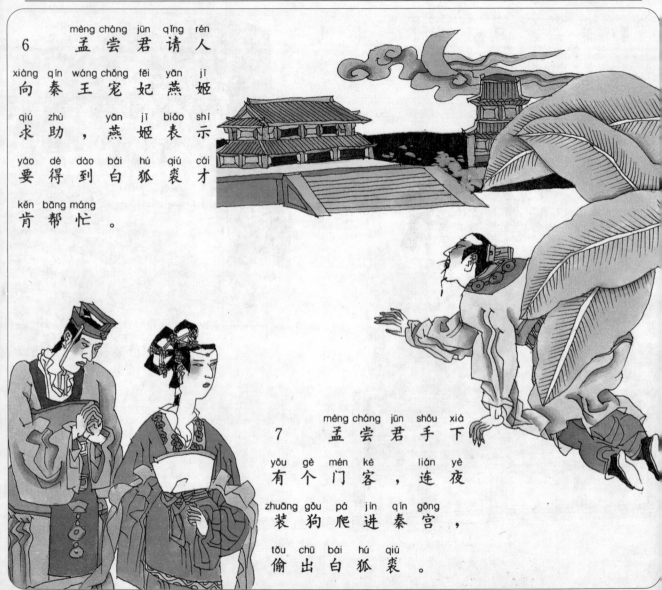

7　孟尝君手下有个门客，连夜装狗爬进秦宫，偷出白狐裘。

8 燕姬得到白
狐裘，趁秦王酒
醉，说服他签发
通行证。

9　孟尝君一拿到通行证，就带着门客连夜赶到函谷关。

10　这时天还没亮，按秦国的规定，必须等鸡叫才能放行。

11 有个门客学
起鸡叫，引得附
近的公鸡都叫起
来。

12 守关士兵以为天快亮了，验看
通行证后，便放孟尝君一行出关。

13　秦王酒醒后懊悔不已，派
兵马火速追到函谷关。

14　可这时孟尝
君等人已经平安
地回到了齐国。

狡兔三窟
jiǎo tù sān kū

注解 窟：洞穴。

释义 狡猾的兔子有三个
洞穴。原比喻藏身的
地方多，便于逃避灾
祸。现比喻预先做好
多种避难的准备。

出处 《战国策·齐策四》

1 战国时，孟
zhàn guó shí　mèng

尝君有个门客叫
cháng jūn yǒu gè mén kè jiào

冯谖，他才干出
féng xuān　　tā cái gàn chū

众，很有谋略。
zhòng　　hěn yǒu móu lüè

2　一次，冯谖主动要求帮孟尝君到薛地收债，孟尝君答应了。

3　孟尝君吩咐冯谖收完债后，买些家里缺少的东西回来。

4　冯谖带着债券到了薛地，把欠债的百姓召集起来。

5　他假传孟尝君的命令，把债券都烧了。

6　老百姓对孟
尝君感激万分，
都说孟尝君是个
仁义君子。

7　冯谖回去后，对孟尝君
说："您家里只缺'义'，我
把'义'买回来了。"

8 mèng cháng jūn dé zhī
孟尝君得知

tā shāo le zhài quàn hěn
他烧了债券，很

bù gāo xìng què yòu wú
不高兴，却又无

kě nài hé
可奈何。

9　一年后，孟尝君被齐王罢
了官，他无处可去，只得到薛
地去。

10　薛地百姓知
道后，扶老携幼
在半路上迎接
他。

11　孟尝君对冯谖说："你为我买的'义'，我今天总算见到了。"

12　冯谖说："狡兔有三窟，我给您买的'义'只是一窟。"

13　不久，冯谖
bù jiǔ，féng xuān

到魏国见魏王，
dào wèi guó jiàn wèi wáng

说服魏王聘用孟
shuō fú wèi wáng pìn yòng mèng

尝君为相国。
cháng jūn wéi xiàng guó

14　魏国使臣奉魏王的
wèi guó shǐ chén fèng wèi wáng de

命令，带着黄金千斤、
mìng lìng，dài zhe huáng jīn qiān jīn

马车百辆去接孟尝君。
mǎ chē bǎi liàng qù jiē mèng cháng jūn

15　　<ruby>冯<rt>féng</rt></ruby><ruby>谖<rt>xuān</rt></ruby><ruby>抢<rt>qiǎng</rt></ruby><ruby>先<rt>xiān</rt></ruby><ruby>赶<rt>gǎn</rt></ruby><ruby>回<rt>huí</rt></ruby><ruby>来<rt>lái</rt></ruby>，<ruby>告<rt>gào</rt></ruby><ruby>诫<rt>jiè</rt></ruby><ruby>孟<rt>mèng</rt></ruby>

<ruby>尝<rt>cháng</rt></ruby><ruby>君<rt>jūn</rt></ruby><ruby>务<rt>wù</rt></ruby><ruby>必<rt>bì</rt></ruby><ruby>拒<rt>jù</rt></ruby><ruby>绝<rt>jué</rt></ruby><ruby>魏<rt>wèi</rt></ruby><ruby>王<rt>wáng</rt></ruby><ruby>的<rt>de</rt></ruby><ruby>聘<rt>pìn</rt></ruby><ruby>请<rt>qǐng</rt></ruby>。

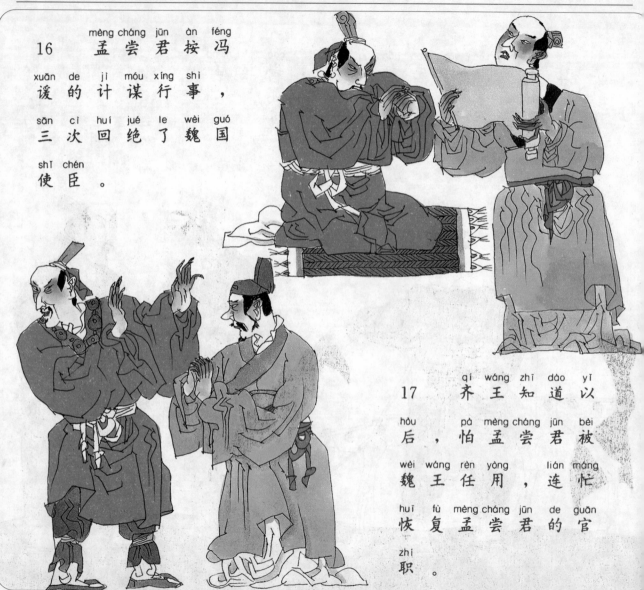

16　孟尝君按冯
谖的计谋行事，
三次回绝了魏国
使臣。

17　齐王知道以
后，怕孟尝君被
魏王任用，连忙
恢复孟尝君的官
职。

18 孟尝君重新担任了齐国的相国。这样，冯谖为孟尝君凿了第二窟。

19 冯谖又劝孟尝君请求齐王在薛地建造宗庙。

20　薛地有了宗庙，齐王就会派兵保护，使薛地不受他国侵袭。

21　冯谖对孟尝君说："三窟已成，您可以高枕无忧了。"

wáng yáng bǔ láo
亡羊补牢

注解 亡：丢失。牢：关牲口
的圈。

释义 丢失了羊，应赶快修
补羊圈。比喻出了差
错后设法补救，免得
再受损失。

出处 《战国策·楚策四》

zhàn guó shí　　chǔ
1　战国时，楚

xiāng wáng tān tú xiǎng lè
襄王贪图享乐，

bù wèn guó shì　　dà chén
不问国事。大臣

zhuāng xīn duì cǐ yōu xīn chōng
庄辛对此忧心忡

chōng
忡。

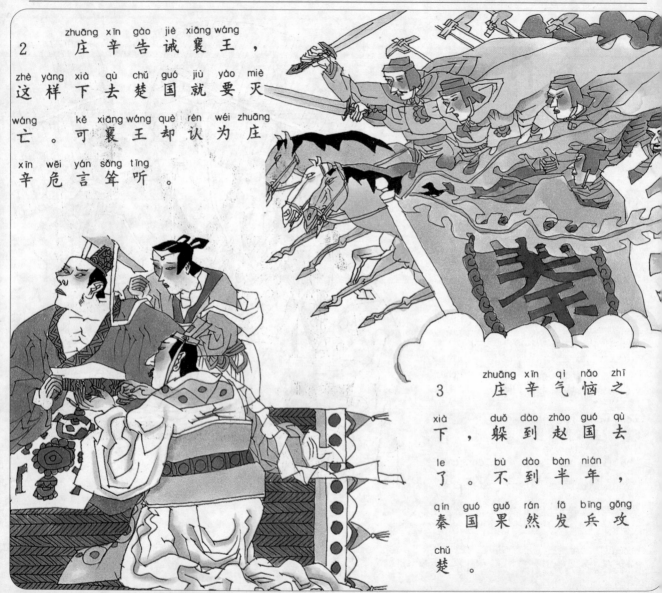

2　庄辛告诫襄王，这样下去楚国就要灭亡。可襄王却认为庄辛危言耸听。

3　庄辛气恼之下，躲到赵国去了。不到半年，秦国果然发兵攻楚。

4　　楚都沦陷，
襄王被迫流亡。
他派人去请求庄
辛指条出路。

5　　庄辛打比方说，如果丢
了羊，赶快修补羊圈还不晚。

6　　他 劝 襄 王 改
　　　 tā quàn xiāng wáng gǎi

　guò zì xīn   yòng xīn zhì
过 自 新 ， 用 心 治

　lǐ guó jiā   zhè yàng chǔ
理 国 家 ， 这 样 楚

　guó hái huì yǒu xī wàng
国 还 会 有 希 望 。

7　　　襄 王 重 用 庄 辛 ， 收 复 了
　 xiāng wáng zhòng yòng zhuāng xīn   shōu fù le

　 bù shǎo guó tǔ
不 少 国 土 。

一鸣惊人
yī míng jīng rén

注解　鸣:鸣叫。惊:震惊。

释义　一声鸣叫就使人震惊。比喻平时默默无闻,突然干出了惊人的事情。

出处　《史记·滑稽列传》

1　战国时,齐威王执政3年,却不过问朝政,国家日趋衰败。
zhàn guó shí , qí wēi wáng zhí zhèng nián , què bù guò wèn cháo zhèng , guó jiā rì qū shuāi bài

2　大臣淳于髡进宫见齐威王，说："齐国有只大鸟，3年来不飞也不叫。"

3　齐威王笑道："这只鸟不飞则已，一飞冲天；不鸣则已，一鸣惊人。"

4 从此，齐威
cóng cǐ   qí wēi

王振作起来，亲
wáng zhèn zuò qǐ lái   qīn

自过问朝政，还
zì guò wèn cháo zhèng   hái

到全国各地视察。
dào quán guó gè dì shì chá

5 他鼓励百姓
tā gǔ lì bǎi xìng

发展生产，齐国
fā zhǎn shēng chǎn   qí guó

渐渐强盛起来。
jiàn jiàn qiáng shèng qǐ lái

6　他 又 整顿 兵马 ， 并 亲 率 军队 打 败 了 入侵 的 魏军 。

7　齐国 重新 成为 一个 强国 。 各国 君主 都 惊 叹 齐威王 一鸣惊人 。

一字千金
yī zì qiān jīn

释义 一个字价值千金。形容文辞精妙,价值极高。

出处 《史记·吕不韦列传》

1 战国后期,秦相吕不韦权势显赫,家中养着3000多名门客。
zhàn guó hòu qī, qín xiàng lǚ bù wéi quán shì xiǎn hè, jiā zhōng yǎng zhe 3000 duō míng mén kè。

2　这些门客都是学者、名士，他们见闻广博，学问高深。

3　吕不韦为提高自己的声望，让门客写下各自的见闻、见解。

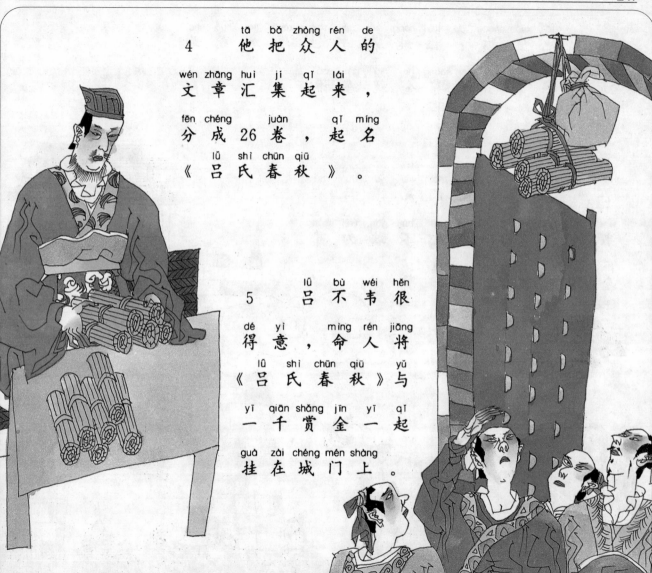

4 他把众人的
wén zhāng huì jí qǐ lái
文章汇集起来，
fēn chéng juàn qǐ míng
分成26卷，起名
lǔ shì chūn qiū
《吕氏春秋》。

5 吕不韦很
dé yì mìng rén jiāng
得意，命人将
lǔ shì chūn qiū yǔ
《吕氏春秋》与
yī qiān shǎng jīn yī qǐ
一千赏金一起
guà zài chéng mén shàng
挂在城门上。

6　　他宣称：谁能在书上增加或删减一字，一千赏金就给谁。

7　　结果，人们畏惧吕不韦的权势，谁也不敢为赏金而随意增减一字。

páng ruò wú rén

旁若无人

释义 好像旁边没有人。形容态度自然，也形容高傲。

出处 《史记·刺客列传》

zhàn guó mò nián

1 战国末年，

wèi guó yǒu gè yǒng shì jiào

卫国有个勇士叫

jīng kē tā shēn tǐ qiáng

荆轲，他身体强

zhuàng jiàn fǎ gāo míng

壮，剑法高明。

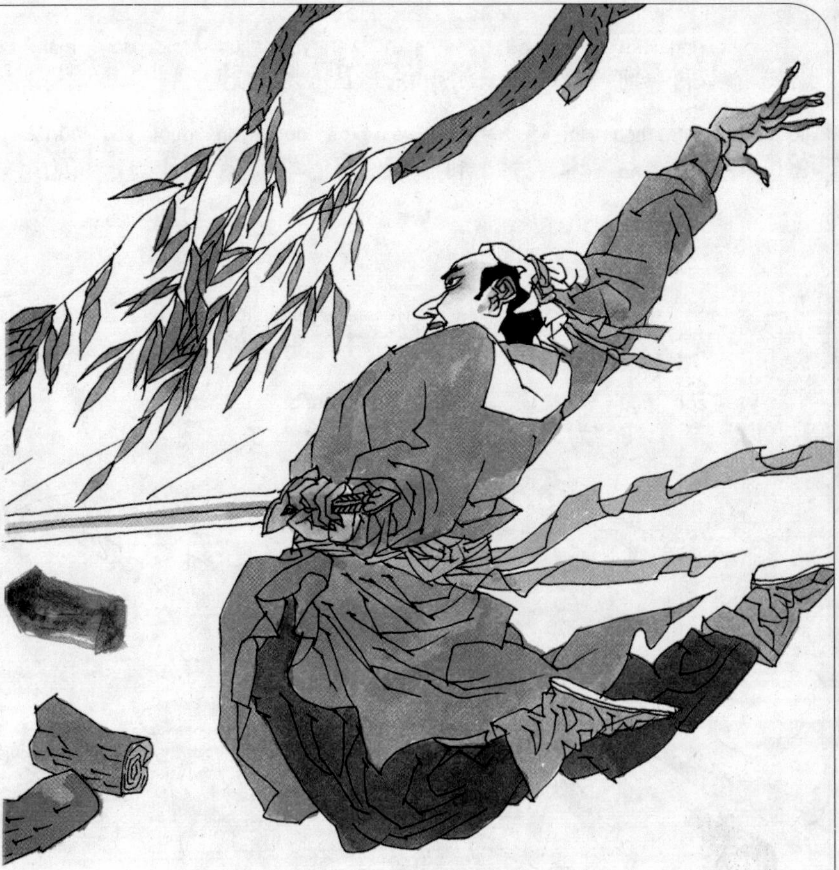

2　　荆轲曾去游说卫元君，但没被留用。后来，荆轲便到燕国游览。

3　　他在燕国结识了高渐离。高渐离以宰狗为业，又擅长击筑。

4　两人经常到酒店，一边对饮，一边谈论
天下大事，十分投机。

5　喝得高兴时，两人就走到
街上，高渐离击筑，荆轲和着
乐声高歌。

6　他俩时而尽
情歌唱，时而相
对而泣，旁若无
人。

7　后来，荆轲得到燕太子丹的赏识，成了
刺杀秦王的壮士。

图穷匕见

tú qióng bǐ xiàn

注解 图：地图。穷：尽。匕：匕首。见：出现。

释义 地图完全展开，露出藏在里面的匕首。比喻事情发展到了最后，真相完全显露出来。

出处 《战国策·燕策三》

1　战国末年，秦国野心勃勃。它灭掉赵国后，又发兵向燕国挺进。

2　燕太子丹为
壮士荆轲准备了
两件东西，让他
去刺杀秦王嬴
政。

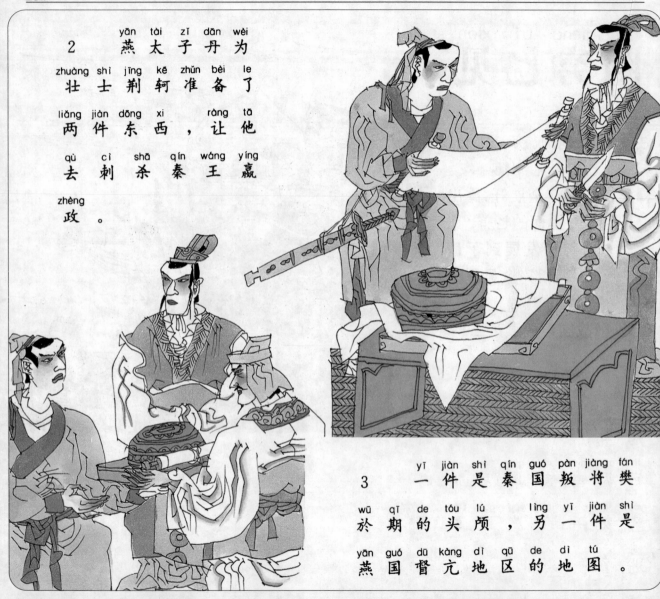

3　一件是秦国叛将樊
於期的头颅，另一件是
燕国督亢地区的地图。

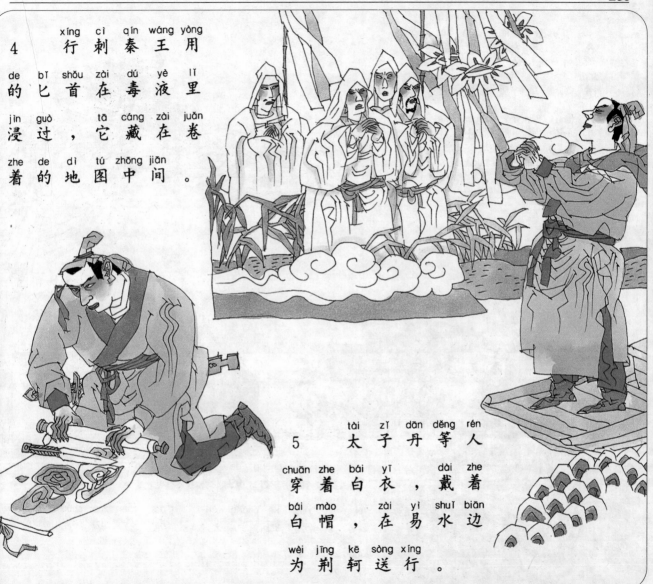

4 行刺秦王用的匕首在毒液里浸过，它藏在卷着的地图中间。

5 太子丹等人穿着白衣，戴着白帽，在易水边为荆轲送行。

6 荆轲慷慨唱道：“风萧萧兮易水寒，壮士一去兮不复还！”

7 在场的人听了，无不落泪。荆轲唱完，带着助手秦舞阳走了。

8　到了秦都咸阳，
dào le qín dū xián yáng

荆轲故意扬言燕国愿
jīng kē gù yì yáng yán yān guó yuàn

把督亢地区献给秦
bǎ dū kàng dì qū xiàn gěi qín

王。
wáng

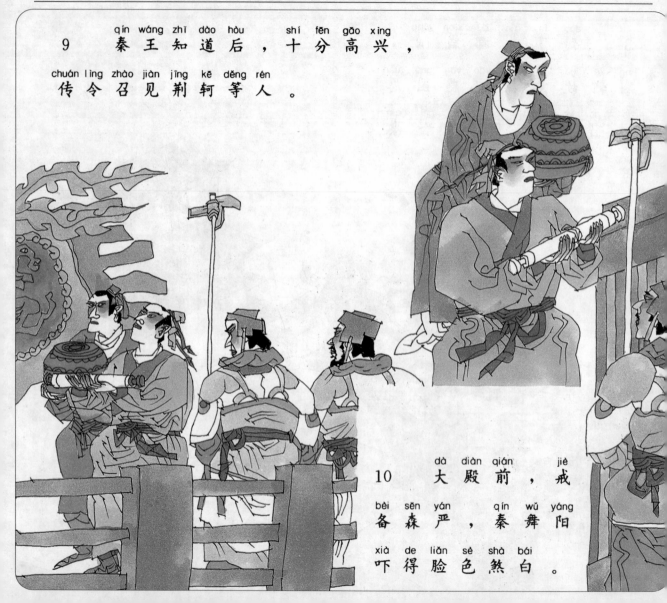

9　秦王知道后，十分高兴，传令召见荆轲等人。

10　大殿前，戒备森严，秦舞阳吓得脸色煞白。

11 荆轲却很镇定，对秦王说："他没见过大场面，请宽恕他。"

12 荆轲向秦王献上地图，秦王一边展开，一边看。

13 地图快展到尽头时，露出匕首。荆轲抓起匕首，猛刺秦王。

14 秦王躲过匕首，去拔身上的佩剑。可是剑太长，怎么也拔不出来。

15　　qín wáng zhǐ dé rào zhe diàn zhōng de dà zhù
秦　王　只　得　绕　着　殿　中　的　大　柱

zi bēn pǎo 　　jīng kē jǔ zhe bǐ shǒu 　　jǐn zhuī
子　奔　跑　。　荆　轲　举　着　匕　首　，　紧　追

bù shě
不　舍　。

16　没有秦王的命令，殿前卫士不敢上殿。大臣们也吓得不知所措。

17　秦王的御医急中生智，举起药囊向荆轲砸去。

18 秦王乘机拨出佩剑，一剑砍断荆轲的左腿。

19 荆轲跌倒在地，用尽全身力气，将匕首投向秦王。

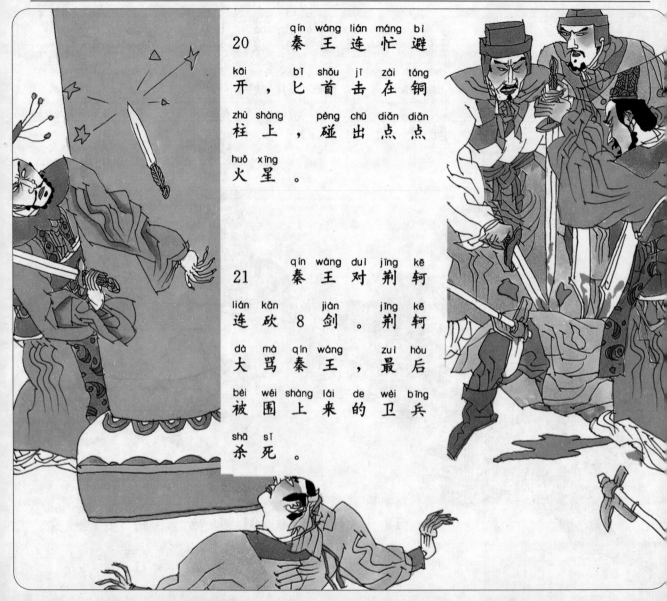

20　秦王连忙避开，匕首击在铜柱上，碰出点点火星。

21　秦王对荆轲连砍8剑。荆轲大骂秦王，最后被围上来的卫兵杀死。

坐山观虎斗
zuò shān guān hǔ dòu

释义 比喻在一旁看别人争斗,等到两败俱伤时从中渔利。

出处 《史记·陈轸列传》

1 春秋时,鲁
chūn qiū shí   lǔ

国人卞庄子武
guó rén biàn zhuāng zǐ wǔ

艺高超,胆子
yì gāo chāo   dǎn zi

也大,敢同老
yě dà   gǎn tóng lǎo

虎搏斗。
hǔ bó dòu

2　　一天，山上来了两只老虎。

卞庄子提着剑冲上山，准备杀虎。

3　　这两只虎一大一小，正在争吃一头牛，斗得不可开交。

4　有个童仆拦住卞庄子，劝他等老虎两败俱伤时再动手。

5　卞庄子就静下心来，站在一旁观望、等待。

6 结果，小老虎被大老虎咬死。大老虎也伤痕累累、精疲力竭。

7 卞庄子挥剑冲过去，非常轻松地杀死了大老虎。

孺子可教
rú zǐ kě jiào

注解　孺子:小孩子。教:教
　　　　导、教化。

释义　旧时用来赞扬年轻
　　　　人有出息、有培养前
　　　　途。

出处　《史记·留侯世家》

1　战国末年,
zhàn guó mò nián

韩国青年张良刺
hán guó qīng nián zhāng liáng cì

杀秦始皇没有成
shā qín shǐ huáng méi yǒu chéng

功,逃到下邳躲
gōng táo dào xià pī duǒ

起来。
qǐ lái

2　　一次，张良
在桥上遇到一位
老人，老人故意
把鞋踢下桥，叫
张良去捡。

3　　张良把鞋捡
上来，老人又叫
张良替他穿上。

4　张良并不计较，跪在老人面前，为他穿好鞋子。

5　老人扬长而去。张良觉得他一定有来历，就悄悄跟在后面。

6　老人忽然转过身子，对张良说："孺子可教啊！5天后你到桥上见我。"

7　赴约这天，张良到时，老人已经到了，他叫张良5天以后再来。

8　又过了5天，鸡一叫，张良就赶到桥上，可老人又先到了。

zhāng liáng qǐng lǎo rén
9　张 良 请 老 人
yuán liàng lǎo rén jiào tā
原 谅。老 人 叫 他
tiān hòu zài lái qiān
5　天 后 再 来，千
wàn bù yào zài chí dào
万 不 要 再 迟 到。

zhè yī cì zhāng liáng bù gǎn dài màn
10　这 一 次， 张 良 不 敢 怠 慢，
bàn yè jiù gǎn dào le qiáo shàng
半 夜 就 赶 到 了 桥 上。

11　sān gēng shí，lǎo
三 更 时 ， 老
rén lái le，tā jiàn zhāng
人 来 了 ， 他 见 张
liáng xīn hěn chéng，fēi cháng
良 心 很 诚 ， 非 常
gāo xìng
高 兴 。

12　lǎo rén cóng huái lǐ
老 人 从 怀 里
tāo chū yī běn shū，sòng
掏 出 一 本 书 ， 送
gěi zhāng liáng，zhǔ fù tā
给 张 良 ， 嘱 咐 他
hǎo hǎo dú
好 好 读 。

13　原来老人是
yuán lái lǎo rén shì

黄石公，他送给
huáng shí gōng　　tā sòng gěi

张良的是姜子牙
zhāng liáng de shì jiāng zǐ yá

的《太公兵法》。
de　　tài gōng bīng fǎ

14　张良反复研
zhāng liáng fǎn fù yán

读这本兵书，后
dú zhè běn bīng shū　　hòu

来成为汉朝著名
lái chéng wéi hàn cháo zhù míng

的开国功臣。
de kāi guó gōng chén

破釜沉舟
pò fǔ chén zhōu

注解 釜：古代炊具，形状像锅。

释义 比喻下最大决心，拼死一战。

出处 《史记·项羽本纪》

1 秦朝末年，
qín cháo mò nián

秦军围攻赵国的
qín jūn wéi gōng zhào guó de

钜鹿。楚王发兵
jù lù chǔ wáng fā bīng

前去解围。
qián qù jiě wéi

chǔ jūn zhǔ jiàng sòng yì wèi jù qín jūn
2　楚军主将宋义畏惧秦军，

jiē lián tiān àn bīng bù dòng
接连46天按兵不动。

chǔ jūn fù jiàng xiàng yǔ rěn wú kě rěn
3　楚军副将项羽忍无可忍，

jiǎ chuán chǔ wáng mìng lìng shā sǐ sòng yì duó
假传楚王命令，杀死宋义，夺

le jūn quán
了军权。

4　项羽率军渡
河去援救赵军。
上岸后，他下令
凿沉所有船只。

5　他还让士兵
们把烧饭用的锅
全部砸烂，又烧
掉了营寨。

6　将士们只带上3天的干粮出发，表示要与秦军决一死战。

7　到了钜鹿，楚军以一当十，经过9次大战，终于击败了秦军。

指鹿为马

zhǐ lù wéi mǎ

释义 指着鹿,说是马。比喻公然歪曲事实,颠倒黑白,混淆是非。

出处 《史记·秦始皇本纪》

1　秦始皇死后,宦官赵高立胡亥为皇帝,他自己当了丞相。

2　zhào gāo hái xiǎng cuàn
　　赵　高　还　想　篡

quán dāng huáng dì ，　jué dìng
权　当　皇　帝 ，　决　定

shì tàn yī xià dà chén men
试　探　一　下　大　臣　们

duì tā de tài dù 。
对　他　的　态　度 。

3　yī tiān shàng cháo shí ，　zhào gāo qiān lái yī
　　一　天　上　朝　时 ，　赵　高　牵　来　一

tóu lù ，　duì hú hài shuō ：　"wǒ xiàn gěi huán
头　鹿 ，　对　胡　亥　说 ："我　献　给　皇

shàng yī pǐ mǎ 。"
上　一　匹　马 。"

4　赵高又故意叫大臣们说说它究竟是什么。

5　赵高的亲信及一些大臣纷纷附和赵高，说它是匹马。

6　另一些正直的大臣毫不含糊地说它是头鹿。

7　后来，赵高一一除掉了那些讲真话的大臣。

约法三章
yuē fǎ sān zhāng

释义 原指订立法令,相约
遵守。后泛指订立几
条简单的条款。

出处《史记·高祖本纪》

1 秦朝末年,
qín cháo mò nián

刘邦率军进入秦
liú bāng shuài jūn jìn rù qín

都咸阳。军队进
dū xián yáng　jūn duì jìn

城后,法纪很不
chéng hòu　fǎ jì hěn bù

严明。
yán míng

2　刘邦来到阿房宫，见宫殿华丽气派、美女如云，简直不想走了。

3　樊哙、张良等人劝说刘邦不要贪图一时享乐，免得失掉民心。

4　刘邦听取劝
liú bāng tīng qǔ quàn
告，下令封存皇
gào xià lìng fēng cún huáng
宫的财物，率大
gōng de cái wù shuài dà
军驻扎到城外。
jūn zhù zhā dào chéng wài

5　他还召来关
tā hái zhào lái guān
中父老、豪杰，
zhōng fù lǎo háo jié
与众人约法三
yǔ zhòng rén yuē fǎ sān
章。
zhāng

6　刘邦说：“谁任意杀人要被处死；
伤人的、偷盗的，也要判罪。”

7　老百姓非常
拥护这三条法
律，刘邦也因此
获得了民心。

书　　名　　一鸣惊人(彩图成语故事精选)

责任编辑　　龚慧瑛　王烈

出版发行　　江苏少年儿童出版社

地　　址　　南京高楼门60号

邮政编码　　210008

经　　销　　江苏省新华书店

印刷者　　无锡童文印刷厂

开　　本　　787×1092毫米　　1／24

印　　张　　12　　插页6

印　　数　　32,001－42,000册

版　　次　　1997年9月第1版　1999年1月第4次印刷

标准书号　　ISBN 7-5346-1766-9／J·432

定　　价　　22.00元

一鸣惊人